Mira Feticu

# Lief kind van mij

DE GEUS

Omslagontwerp Berry van Gerwen
Omslagillustratie © Getty Images
ISBN 978 90 445 1982 2
NUR 301

voor de vrouw die jij zult zijn, Eva-Linda

# INHOUD

# De lange wegen van de eenzaamheid

Ik stel me voor dat mama mij naar het Internaat bracht zoals ik mijn dochter tweemaal in de week voor een paar uur naar de opvang breng, waar ik haar dinsdags om vijf uur ophaal en woensdags om zes uur.

Met een grote, bruine tas met twee zijvakken liet ze me achter in de hal van het Internaat, die helemaal gevuld was met meisjes van mijn leeftijd.

We hadden nog geen kamers gekregen. Ik vroeg aan het meisje rechts, hoewel ik wist dat niemand nog een kamer had: en in welke kamer slaap jij? Zonder het antwoord af te wachten vroeg ik het daarna aan het meisje links: en jij, in welke kamer slaap jij? En zo verder.

Mama haastte zich ondertussen naar het busstation. Onderweg kocht ze nog een zak zure vis, waarvan ze op weg naar huis heimelijk alle graten afkloof en schoon zoog. De zinnenprikkelende lucht verspreidde zich in de bus, waardoor de mensen die terugkeerden na een dag werken in de fabrieken van het provinciestadje alleen maar meer honger kregen.

Een half uur voor het bedtijdsignaal werden ons onze kamers toegewezen; ik kreeg het derde bed aan de oostzijde van in totaal acht aaneengeschakelde bedden – vier aan de ene kant en vier aan de andere, en een smalle, maar hoge kast, waarin de komende zes jaren mijn hele leven zou passen.

Die nacht werden er overal in het Internaat deuren gesloten, geopend en dichtgesmeten. De doucheruimte waar het water bleef stromen omdat de kraan niet dichtging stond al blank vanaf dag één en dat zou zes jaar lang zo blijven. Een enkele keer was het water waardoor je naar de wc moest waden, warm.

In de wastafels en in de plassen op de grond dreven lange haren. Als ze verzameld zouden worden, waren ze goed voor een paar pruiken per jaar. De spiegels waren gigantisch (thuis was de spiegel niet groter dan een handpalm, bevestigd aan het kozijn, buiten, aan de achterkant van het huis, waar papa zich placht te scheren) en uitdagend.

's Morgens gingen we naar school. 's Avonds speelden de meisjes kaart, ze lazen, ze verstopten zich voor elkaar, bedreven spiritisme of klauterden op de muur achter de school om de stad in te vluchten. Bij mijn weten is niemand er ooit in geslaagd om te ontsnappen, hoewel we het allemaal probeerden en regelmatig onze knieën schramden.

Twee jaar later zouden we met een door de opvoedster ondertekend verlofbewijs eenmaal per week de poort uit mogen, we zouden groepsgewijs de stad in gaan, giechelend van spanning en vrees, de stad beangstigde ons bij elk uitje opnieuw.

Daar zouden we voor het eerst kussen en gekust worden, we zouden onze eerste afspraakjes hebben, waarbij sommige meisjes, genereuzer dan andere, hun benen zouden spreiden of zouden toelaten dat ze gespreid werden en de stad zou ook de stad van de eerste abortus worden. We zouden naar het ziekenhuis worden gebracht door een koele opvoedster die ons een mep zou verkopen als we zeurden en die onze ouders voor zo'n onbenulligheid niet lastigviel. Zij was ook degene die ons, in een kudde, elke donderdagavond, naar het concertgebouw zou brengen, voor onze culturele ontwikkeling. We zouden de voorste vijf rijen van het kleine concertgebouw bezetten, waarin, op de eerste rij, diezelfde opvoedster zou zitten snurken, van het voorspel tot het hoogtepunt.

Maar voorlopig probeerden we onze kamer schoon te houden. Moedig wasten we ieder onze oksels en ons gezicht met het ijskoude water. Sommigen, meer spartaans aangelegd, deden het echt iedere ochtend. Een dag per week werkten we in de kantine, zij aan zij met de kokkinnen.

Er was ook een korte periode, tussen vijf en zes uur 's middags, waarin sommigen languit op bed lagen, op de dikke sprei, en zwegen. Ik sloop dan de lege gangen in, tot achter het gebouw van het Internaat. Achter de dikste boom knielde ik neer en legde mijn hoofd in mijn armen. Zachtjes huilde ik: mama, mama, aan één stuk door, totdat de pijn zich wat comfortabeler in mijn ziel nestelde.

Als de gong weerklonk die de avondmaaltijd aankondigde, zat ik nog daar, op mijn knieën, ik moest hollen om me bij de meisjes te voegen, die, net als ik overigens, geloofden dat het leven iets wonderbaarlijks voor ons in petto had, iets wat onze moeders en grootmoeders niet ten deel was gevallen, maar wat lag te rijpen, langzamer of sneller, zoals de griesmeelpap met marmelade die we elke avond zouden eten. Die geloofden dat zij alleen maar hoefden te bestaan, alleen maar hoefden te ontwaken en koud water over hun gezicht en borsten hoefden te gooien en te zorgen dat ze niet in slaap zouden vallen tijdens de lessen, hun gebruikte maandverbandwatten in meerdere papiertjes te wikkelen alvorens het in de prullenmand te gooien en hun bord met marmelade met griesmeelpap leeg te lepelen.

De Revolutie van twee jaar later zou hun geloof intact laten, alleen de marmelade met griesmeelpap zou veranderen in aardappels met kaas.

De meisjes veranderden, als in een sprookje, van meisjes met wenkbrauwen als Frida Kahlo, in vrouwen met vrouwenkuiten en veel haar op de benen.

Ieder van ons dacht te beschikken over het meest effectieve middel om af te vallen. Elke ochtend slikten we een knoflookteentje op een lege maag, volgens het recept van Diana. En toen de knoflook geen resultaten gaf, behalve dan dat de hele klas als een detachement hooiers naar knoflook stonk, gingen we over op het dieet van Maria – zuivere azijn, niet verzoet, ook weer op de lege maag.

Dit keer lieten de resultaten niet lang op zich wachten, met de halve verdieping tegelijk stonden we in de rij voor de wc om het venijn uit onze buik te krijgen, voorlangs of achterlangs.

Het feit dat het dieet met knoflook of azijn geen vruchten afwierp, raakte ons meer dan dat de directeur corrupt was en stinkend rijk van alle vereiste smeergelden.

Nagellak gebruikten we niet, want die was er niet, en make-up evenmin.

Niemand hield van een ander, ieder alleen van zichzelf, met een fanatisme waar ik ook nu, na zo veel jaren, nog versteld van sta, en waarvan ik denk dat het een vorm van weerstand was, de enige misschien die binnen handbereik was, van ons, meisjes van het platteland die zes jaar werden opgesloten in een Internaat met als doel lerares te worden en beter te trouwen dan onze moeders hadden gedaan.

In het Internaat hadden we geen televisie, de toespraken van Ceaușescu hoorden we niet en zagen we niet en ook van het begrip 'politieke gevangene' of 'politieke detentie' hadden we geen benul.

En zelfs als we ervan hadden geweten zou andermans gevangenschap ons koud hebben gelaten.

Niemand sprak 's avonds, voordat we gingen slapen, over moeders of vaders. Over neefjes en nichtjes werd wel verteld, over jongens en meisjes van onze leeftijd. Alsof de moeders en vaders met ons vertrek van huis waren opgehouden te bestaan.

Mij sprak dat idee erg aan, zij het in iets gewijzigde vorm: mama en papa waren thuis en ik was bij hen, want ik was gestopt met groeien, ik was dezelfde gebleven als het meisje dat van huis was gegaan. Misschien, als het me vergund was, en het was me vergund, misschien was dat zelfs al twee jaar eerder gebeurd, toen de hemel altijd helder was en de regendruppels even groot en zwaar waren.

We werden wakker in dezelfde kamer, we aten van hetzelfde brood tijdens het ontbijt, de geur van hete soep bracht ons op hetzelfde tijdstip voor de lunch bijeen en 's avonds kookte mama mijn lievelingseten, een soort pasta met noten.

Ik was lenig van hoofd en leden, papa leek tevreden. Elke avond kwam hij van zijn werk, met zijn handen nog onder de motorolie (er stroomde daar nooit voldoende water uit de kraan om de handen schoon te maken) en begon dan met het vierhoekige hamertje het mozaïek te bewerken dat de stenen sierfundering van het huis bekleedde, want dat was toen heel erg in de mode binnen de eenvoudige architectuur die meer door bouwvakkers dan door een architect bepaald werd. Het was een schitterend hamertje, met op ieder van de vier zijden een ander motief, papa sloeg elke plaat nauwgezet in een andere kleur en het matte rood van de plaat veranderde in miljoenen schitterende rode schakeringen, kleine bergjes die ik met de punt van mijn pink beroerde en die prikten, maar niet zo hard dat ze het plezier van de aanraking tenietdeden.

Om het uur verplaatste papa zijn stoeltje naar een volgende plaat en in de tijd tot aan het avondeten kleurden mijn handpalmen rood en blauw, groen en paars en het hamertje kreeg alle nuances van de regenboog.

Het geluid van de klap zelf was ook blauw of rood, als ik vlak bij papa bleef. Of zwart en wit, als ik binnen naar het geluid luisterde, in de kamer, door mijn oor te drukken tegen de onderzijde van de muur, die hij omtoverde in de schittering van een balzaal.

Het Andere meisje, in het Internaat, bij wie de knoflook en de azijn de neus uit kwamen, groeide in de breedte, de broek met blauwe stippen paste haar niet meer, ze moest er een wijde en lange blouse boven dragen om de rits van de broek te bedekken die halverwege klem zat.

Om langer te lijken liep ze op hakken. En zo, met het haar ouwelijk gevat in een knot achter het hoofd, met lippen die opgezet waren door natuurlijke siliconen, met brede schouders en borsten die aan alle kanten leken uit te dijen, van de buik naar boven en van het sleutelbeen naar beneden, leek ze wel een varken op rolschaatsen. Maar papa kwam nooit in het Internaat op bezoek, waar de schrik hem om het hart zou slaan. Zijzelf was de enige wie de schrik om het hart sloeg. Het Andere meisje, thuis, at pasta met noten, viel af en werd langer.

's Nachts stond ik op als de andere bedden in de kamer niet meer kraakten, ik pakte het boek dat ik de avond tevoren al aan het voeteneind had klaargelegd en begaf me naar de studiezaal, ik las een boek over bloedzuigers.

Iedereen sliep, af en toe waren er stappen hoorbaar in het water van de doucheruimte, daarna niets meer, alleen ik en het licht dat op de gangen en in de doucheruimtes nooit uitging.

Vanaf een van de takken van de boom waar ik maandenlang achter had gehuild ben ik op de muur gesprongen die niemand kon beklimmen en aan de andere kant heb ik me naar beneden laten vallen. Ik droeg oude sportschoenen, vijf maten te groot, van een kamergenootje, die dienden als pantoffels. Het kon me allemaal niet schelen, ik vroeg me alleen voortdurend af wat het magere meisje thuis deed. In een onverlichte trein hield een conducteur me staande aan een knoop van mijn winterjas, om me zo beter bij mijn borsten te kunnen pakken, maar ik geloof niet dat hij echt veel voor elkaar heeft gekregen. De weg naar huis was als het bereiden van een heerlijke drank die ik tot op de bodem van het glas zou opdrinken. De honden sloegen niet aan, ik opende de deur van de kelder, ik daalde de drie treden af zonder mijn hoofd te stoten, zoals papa altijd deed, ik liet de sportschoen van mijn linkervoet drijven in het water. Ik zag niets, maar ik kende elke steen en ieder spinnenweb. Om in het midden van de kelder te komen moest je vanaf de laatste tree springen, met behoorlijk veel kracht, anders viel je in de put met water, die via een gootje in verbinding stond met het slootje, dat nooit ophield te murmelen en waarin het stikte van de bloedzuigers. Als je overdag water schepte om aan de koeien te geven moest je goed opletten dat er geen bloedzuiger in de emmer achterbleef, want die zou de koe binnen drie dagen op de knieën hebben gekregen.

Ik had gedacht dat het water kouder zou zijn, dat ik het zou voelen wanneer de bloedzuigers me zouden vinden. Ik was van plan om niet op de knieën te gaan. Ze moesten eerst het vet van mijn kuiten en buik zuigen, zodat de rits van de blauwe broek met stippen eindelijk dicht kon.

Ik voelde hoe ik zweette in het koude water, ik voelde hoe het zweet over mijn nek naar beneden liep en vanaf mijn middel onder mijn kleren weer omhoog.

Bloedzuigers leven op wezens met zachte lichamen, zoals het mijne. Met hun drie halfronde kaakmessen zullen ze Y-vormige littekens achterlaten op mijn lijf.

Na twee weken aan het infuus was ik min of meer tevreden met het resultaat.

Mama moest nieuwe kleren voor me kopen, bij de kinderafdeling.

Daarna bleef ik een tijdje thuis, elke dag bij papa. Als hij terug was van zijn werk, kon ik naar de melodie van de hamer voor het mozaïek luisteren.

Toen ik de volgende vakantie weer thuiskwam, bestond mijn kamer niet meer.

De boeken, de langspeelplaten, mama had ze naar de zolder gebracht.

De oude kleren pasten niet, pasta was niet te krijgen bij de kruidenier en het was een slecht jaar voor noten geweest. In het huis was alleen nog plaats voor mama en papa.

Ik keerde terug naar het Internaat.

Ik ben nog een paar keer naar huis gegaan en altijd stuurde papa me dezelfde nacht nog weg.

Nog steeds huilde ik af en toe achter de boom, al wist ik niet precies waarom.

Ik was trouwens niet de enige die huilde. Ieder had haar eigen plek.

Eens per week ging de deur van de klas tijdens een les open en riep de conciërge de naam van een van mijn klasgenotes.

Na de eerste keer wisten we dat de conciërge alleen bij sterfgevallen zijn hoofd om de deur stak. De geroepene mocht dan een week thuisblijven.

De tweede keer mochten de meisjes uit dezelfde stad als de geroepene mee om haar tot steun te zijn. Op een dag was een meisje uit mijn dorp aan de beurt. Ik mocht mee. We gingen met de trein; het was bijna gezellig, ik hoopte dat ik onderweg iemand uit mijn straat zou zien of mama en papa zelf, maar ik zag of herkende niemand. In het huis van ons klasgenootje troffen we geen lijk, geen kist, geen kruis aan, alsof haar moeder niet dood was, maar op vakantie. Zij bleef om voor haar oudste zus en broer te zorgen. Wij gingen naar school terug.

De naam van het meisje dat, een week daarna, door de conciërge geroepen werd, was geen verrassing voor me.

Luttele weken voor het examen op grond waarvan werd beslist wie wel werd toegelaten tot het Internaat en wie niet, had ik het meisje met de naam van een rivier en haar moeder leren kennen bij een ietwat van lotje getikte leraar Roemeens, thuis.

Tegen betaling vertelde hij ons, na een test, of we wel of niet zouden slagen voor zo'n moeilijk examen.

Het meisje was lief en gehoorzaam als een kalfje dat slechts een licht duwtje nodig heeft om te weten aan welke zijde van de weg ze lopen moet.

Haar moeder was de eerste stervende mens die ik in mijn leven had ontmoet. Dat wist ik meteen omdat ze hoestte als onze hond Leu, die ik met Oud en Nieuw begraven had. Leu hoestte al een paar jaar. De hoest leek een enorme spin die zijn hoofd tussen haar poten geklemd hield, Leu schudde met zijn kop, hij schraapte zijn keel en schudde dan zijn kop opnieuw. Soms spuugde hij, als een man, aan de kant van de weg.

Op oudejaarsavond verschool hij zich tussen de blokken hout die op het kelderluik te drogen lagen. Hij wilde het nieuwe jaar niet meer binnengaan.

Papa en ik hebben hem begraven achter het huis, onder de meiperenboom.

De vrouw had, zoals veel vrouwen doen, aan mijn moeder verteld dat ze een ongelukkig huwelijk had en dat ze aan een ziekte leed.

Ik denk niet dat mama heeft geprobeerd haar te troosten, waarschijnlijk heeft ze gezegd 'wat vervelend, mevrouw' en heeft ze zich gehaast om, egoïstisch, haar eigen man op te hemelen. Waarschijnlijk heeft ze het er thuis ook niet meer over gehad.

Het verwonderde me dus niet dat de naam van het meisje geroepen werd.

Ik stelde alleen vast dat de hoest lankmoediger was geweest met de mens dan met de hond.

Jaren later, gevangen in mijn eigen droom een gezin te hebben, verstomd door de nieuwe taal waarmee ik niet durfde te worstelen, moe van het moederschap waarvoor ik al mijn bloed had ingezet, zou ik zo'n zelfde hoest uit mijn buik naar mijn keel omhoog voelen komen.

Het was een waarschuwing die me dwong te kiezen – en ik heb ervoor gekozen om veel Nieuwjaarsdagen te beleven, al is thuis begraven worden onder de meiperenboom ook niet niks.

Ik weet niet waar de moeder van het meisje met de naam van het stromende water begraven ligt, ik weet alleen dat zij na het Internaat naar huis is teruggekeerd, om haar vader te verzorgen en haar jongere broertjes op te vangen.

Toen de Revolutie uitbrak waren we allemaal thuis, met Kerst.

Papa was geprikkelder dan ooit.

In een opwelling van enthousiasme gooide mama haar lidmaatschapskaart van de communistische partij in de kachel, ze stak het vuur aan en de blauwe vlam veranderde mama's enthousiasme in angst. Ze duwde haar armen tot haar ellebogen in de kachel, ze doofde de vlam en redde haar lidmaatschapskaart: 'Je weet immers maar nooit.'

Papa hoopte dat men het wél wist en een tijdlang heeft men het ook daadwerkelijk geweten, pas na verloop van tijd was men het weer kwijt.

Er waren zo veel jonge mensen gesneuveld, daar waar flats

voor jonge gezinnen hadden moeten komen werden begraafplaatsen aangelegd voor de jongeren die in hun hoofd waren geschoten, zo veel en zo jong, jongens en meisjes, dat het leek alsof ze allemaal onder de grond waren geëmigreerd om daar te trouwen, om kinderen te maken die niet meer in rijen hoefden te staan en die niet bang meer hoefden te zijn om hun mond open te doen, die zouden dromen dat ze zichzelf zouden worden en geen rode pioniers of jongcommunistische verklikkers, cheffinnen van kruidenierswinkels, rechtschapen zonen des vaderlands.

Wie zijn angst de baas kon worden kwam zijn huis uit en wij moesten weer terug naar school.

Op de boomstammen werden affiches geplakt met de foto van de corrupte directeur: Weg met hem!

Het heeft even geduurd, maar hij vertrok.

Een tijdlang bleven alle deuren van het Internaat geopend, in de kamers waar niemand woonde lagen schone en nieuwe spreien. Niet zoals die van ons, die allemaal even smerig waren en waarop je de getekende bloemen niet meer van de menstruatievlekken, eveneens in anjervorm, onderscheiden kon.

Het gerucht ging dat een jongen of een man was opgesloten in de lege kasten in de nieuwe kamers. Ik heb er niet een gezien, in geen enkele kamer, maar ik heb me ook niet erg ingespannen om te zoeken. Er waren echter meisjes die durfden zweren dat je hem kon zien, als je op een zeker nachtelijk uur door een bepaald sleutelgat keek of in het kantoor van de opvoedster.

De verdwijning van de directeur viel samen met de vermissing van een van onze klasgenotes. Zoals viel te verwachten werd er alarm geslagen, we werden allen 'ondervraagd' door de opvoedster. 'Mevrouw' deelde op haar eigen democratische wijze wat stevige klappen met haar ringen uit, maar de politie werd niet gewaarschuwd. Evenmin de ouders van het vermiste meisje (hoewel wij de vader maar wat graag hadden leren kennen, die haar, zo had het vermiste meisje ons verteld, had geleerd hoe ze tongzoenen moest).

Na een paar dagen kwam ze toch weer boven water. Zonder directeur.

Mevrouw kamde eerst haar haar, vervolgens onderwierp ze haar aan een verhoor en dreigde ze met de gynaecoloog.

Het meisje bekende dat ze nog geen menstruatie had, en ook geen vagina, dat laatste was aangeboren.

En als de opvoedster haar niet geloofde, moest ze het maar vragen aan de beheerder van de kantine. 'Mevrouw' kookte van woede, o, mooiere dagen waren ondenkbaar!

De hele schoolleiding was ziedend, er werd vastgesteld dat meer dan de helft van de meisjes geen vagina had en ook geen menstruatie en dat de beheerder én de directeur hiervan inderdaad op de hoogte waren.

De directeur was al weg, de beheerder zag ik afgevoerd worden door de politie.

Die week bereidden de kokkinnen elke dag vlees, zoet vlees zoals we nog nooit gegeten hadden.

Wij liepen vrijelijk de poort uit en renden direct naar de markt, waar excentrieke kooplui midden in de winter kersen hadden 'uitgevonden'. We hadden geen rooie cent, maar ik hield de koopman aan de praat en mijn klasgenote propte de kersen in haar zakken. Daarna renden we weg, zo hard we konden, en schaterden het uit, totdat we het ervan in onze broek deden.

Direct na de Revolutie mocht er gekozen worden en veel meisjes waren naar een normale middelbare school gegaan, gesteund door hun ouders. Alleen wij waren overgebleven, degenen die vrijdag na vrijdag hun bagage inpakten om naar huis te gaan maar niet meer gingen, die nooit door iemand bezocht werden. Onze ouders kwamen eens per jaar naar de vergadering met de docenten en gingen meer of minder tevreden over hun kroost weer terug.

Het Internaat liep leeg.

De meisjes zonder vagina waren vertrokken; wij, de anderen, met menstruatiepijnen, sliepen iedere nacht in een andere kamer, we bakten patat om twee uur 's nachts, zonder kaartje gingen we naar voorstellingen, we knipten elkaars haar en epileerden ons met een en hetzelfde mesje, we braken de kasten open van de hebzuchtige meisjes die hun salami in hun onderbroeken wikkelden en onder in de kast verstopten, we luisterden naar de nieuwsberichten over de Golfoorlog, we overleefden aardbevingen en jongens waren niet aan ons besteed.

Steeds minder vaak maakte ik de reis naar huis, en wanneer ik het deed was het eerder nog vanwege de wandeling door het bos, vanaf het station.

Het geschreeuw van Mevrouw was ook minder geworden, we maakten ons geen zorgen meer voor de gevolgen als ze ons tijdens haar wake-uptoer, nadat ze door de luidsprekers boven iedere deur 'Opstaan, meisjes!' had gebruld, nog aantrof in bed.

Met uitzondering van de directeur waren de meeste docenten dezelfde gebleven. Wel waren er idiote vakken als metaalbewerking verdwenen, en daarmee ook de betreffende docent, in dit geval een brillenman die buiten school afspraakjes met de meisjes maakte.

De lunch werd niet meer op tijd opgediend of wij kwamen niet meer opdagen, er waren geen vergaderingen meer in het Internaat, alleen heerlijke dansavonden waarop je, in de meisjes die we nog waren, de verlegen vrouwen van later ontwaren kon. We sliepen met z'n tweeën in een bed, vanwege de kou, gedrieën gingen we de stad in, dapper stapten we cafés binnen en dronken er mooi gekleurde giffen, met namen die ons niets zeiden, maar die we uitspraken met nonchalance: de Curaçao, Grand Marnier of Tia Maria.

Mevrouw, met haar ringen en geplatineerde haar, met haar rokjes die Elena Ceauşescu (de moeder der mantelpakjes) dol gemaakt zouden hebben, volgde de mode, maar van geest was ze nog steeds dezelfde communistische neushoorn van weleer. Als we wisten dat zij in het tehuis was, durfden we de poort niet uit zonder een verlofpasje van haar. Op haar deur moest je drie keer kloppen en na de derde klop hoorde je haar scherpe stem: 'Wat is er, meisje?'

De meisjes wilden met z'n vijven de stad in.

Ieder had een verlofboekje in de hand, de vijfde in de rij had slechts een vel papier, de Revolutie had al haar schriften zoekgemaakt. Als reden voor de gang naar de stad hadden we allemaal 'om een boek te kopen' ingevuld, maar zij, de vijfde in de rij, had opgeschreven 'om een oud wijf de straat te helpen oversteken omdat het oude wijf zelf de straat niet oversteken wil'.

We bereidden ons voor op een circus. We hoopten dat ook Mevrouw zich, net als wij, zou amuseren. We voorzagen ook vijf ringen tegen ons hoofd, op z'n minst.

Maar er belde iemand en Mevrouw moest naar de lerarenkamer komen, iets wat niet vaak gebeurde. En, wat nog merkwaardiger was, Mevrouw vergat haar 'kabinet' af te sluiten.

Een van ons begon aan de deuren van de kasten te trekken, de vijfde bleef kijken of er 'op drie' en 'op negen uur' iemand aankwam.

Als Mevrouw hier een man verborgen hield, konden we hem nu vinden.

En ja, in een van de laden lag hij.

De onnozelste onder ons zei dat het een kalasjnikov van de Revolutie was, de slimste lachte en liet met bewegingen en woorden zien waar die plastic kalasjnikov met batterijen toe diende.

Zoiets ging de verbeelding van de andere vier te boven.

En ook al waren wij ertegen, toch nam de vijfde de kalasjnikov en rende ermee de gangen op.

Wij sloten zachtjes de deur van het kabinet en zwermden vervolgens alle kanten uit.

Mevrouw heeft de een na de ander voor een verhoor ontboden.

O, natuurlijk speet het ons dat we niet waren gebleven om haar kabinet te bewaken totdat ze weer terug was. Nee, wij hadden de afgesloten lades niet met een mes geforceerd. En we informeerden: 'Bent u iets kwijt, Mevrouw?'

We dansten op een koord, maar het koord hield ons.

Mevrouw heeft alle kamers doorzocht, haar was verteld dat iemand een jongen had binnengesmokkeld.

Na nog een week onderzoek ontbood Mevrouw de moeder van de vijfde met spoed naar school.

De vrouw kwam op een ochtend, met een betraand gezicht. Aan iedereen die ze tegenkwam op de gangen van het tehuis vertelde ze dat ze gescheiden was en in haar eentje vier jongens en het meisje op het Internaat moest grootbrengen.

We keken met genoegen naar de moeder, het was duidelijk van wie het meisje haar schoonheid had. Ze waren van hetzelfde ras, superieur aan ons, de anderen, maar onverzorgd, versleten.

Dezelfde voortanden in de vorm van spades, hetzelfde rechte haar, dezelfde schitterende knieën – perfecte hersenpannen boven de o zo lange scheenbenen.

Maar noch de moeder noch haar dochter kon Mevrouw vermurwen, die de steun genoot van de leraren. Het meisje werd op straat gezet, ze moest nu ergens in de stad een kamer betalen.

Na een tijdje verscheen ze niet meer op school, ik kwam haar tegen op de laan met de kastanjebomen, waar ze op een van de door duiven ondergepoepte bankjes zat.

Wilde ze geen stukje wandelen? vroeg ik haar.

Nee, want ze bloedde hevig, ze had een hemorragie.

Ik ging me inschrijven voor een literatuurconcours, zij had net een abortus gepleegd.

Ik vond het vreemd en beangstigend.

Was er eigenlijk wel iemand die haar vroeg hoe zij het vond?

Hartje zomer.

We halen water op de binnenplaats, bij een pomp, met een emmer. Bij de kranen en de douches is het water afgesloten.

Het hoefde natuurlijk niet te stromen voor vijf aapjes.

We slapen alle vijf op de begane grond, 's nachts horen we boven, op de verdieping, het smijten met deuren. Maar de gloeilampen zijn daar weggehaald, dus alleen overdag kunnen we er gaan controleren. Dan is het er verlaten, we duwen elkaar in de rug, we lachen, maar de angst is in onze ogen te lezen.

Sinds twee weken eten we geitenkaas die een van ons van huis heeft meegebracht.

We weten niet of ze stinkt omdat het geitenkaas is of omdat we ze al twee weken in een kast bewaren, bij achtendertig graden in de schaduw.

We hadden ons kunnen verbeelden dat we blauwe kaas aten, frommage avancé, maar niemand van ons had ooit van Franse blauwe kaas gehoord.

Overdag zoeken we ieder iets te doen, geen van ons weet wat de ander uitspookt.

's Avonds komen we bijeen, rond de kaas.

Een riempje van mijn schoen is gebroken en ik moet hem wegbrengen om te laten repareren.

Ik haast me om terug te zijn nog voor de hitte onuitstaanbaar wordt, maar bij de schoenmaker moet ik wachten totdat hij het riempje heeft vastgenaaid, omdat ik geen andere schoenen heb. Waarom draag je geen sandalen, want je smelt in deze schoenen, zegt de schoenmaker. Ik vervloek hem in gedachten en antwoord vriendelijk dat ik de sandalen, die ik niet heb, bij een vriendin vergeten ben. Hij begrijpt de verwensing en naait mijn riempje te strak. Op de terugweg doet mijn enkel gigantisch pijn, ik ga zitten op een bankje en bevrijd mijn voet uit de beknelling.

De wereld is een oven. Ik heb al een blaar op mijn grote teen. De lucht flikkert van de hitte, alsof ze uiteenvalt, het water loopt van mijn voorhoofd en over mijn rug.

'Hou van mij', zegt iemand naast me.

Ik kijk op en zie een oud mannetje. 'Hou van me, hou van me!' zegt hij, hij doet twee stappen, draait zich om en zegt opnieuw: 'Hou van me, hou van me!'

Door de zon kan ik zijn gezicht niet goed zien, maar het komt me bekend voor.

'Kom morgen weer', zegt hij en hij loopt weg.

Ik voel me alsof ik in mijn eentje, in de bloedhitte, alle geitenkaas verslonden heb.

De volgende dag, om niet alleen in het Internaat achter te blijven omdat iedereen weg is, ga ik weer naar buiten.

Ik voel me nogal beschaamd, het is alsof me nog nooit zo veel oude mannen zijn gepasseerd.

Ik zit op dezelfde bank als gisteren en ik hoef niet lang te wachten.

De oude heer buigt zich naar mij toe en zegt: 'U houdt van jongs af aan al van literatuur, hè?'

Ik voel de aandrang om te lachen, maar ik houd me in, ik voel helemaal geen gêne meer, ik voel me alsof ik ben binnengekomen nadat de film al begonnen is, iedereen lacht en ik lach ook, stompzinnig, het komt wel goed, want het oude mannetje is die zotte leraar bij wie ik ooit een grammaticatoets heb gedaan, samen met het meisje met de naam van het stromende water.

We kennen elkaar dus, maar ik dacht dat ik hem van iets anders kende.

'Je bent klein, ik kan je niet beminnen, ik zou je heel voorzichtig neervlijen, om je niet te verwonden.' Ik vind het fijn wat ik hoor, eindelijk neemt iemand me serieus, niet alleen die perverse fotograaf die met de smoes dat hij haren van mijn blouse moet plukken omdat de foto anders niet zou lukken(!), mijn borsten betast.

'Hebt u niet de indruk dat alle meesterwerken op elkaar lijken?' zeg ik om maar iets te zeggen. Zijn antwoord interesseert me niet, maar ik zie graag dat hij me gelijk geeft.

Ik wrijf als een mier mijn ene been over het andere, ik vertel hem dat ik mooier ben geworden na de lessen esthetica op school en hij duwt me bijna opzij. 'Geef me de definitie van het sublieme', dat is precies waar ik op wachtte en als een actrice met enige ervaring zeg ik: 'Hannibal was subliem toen hij door de Romeinen werd verslagen', en hij gaat staan: 'We zijn in Rome. We zoeken Hannibal.' Ben ik net zo gek als hij?

Ik doe alsof ik de mensen niet zie die lang naar ons kijken. Eindelijk had iemand tijd voor mij. Hij vroeg me doodgewone dingen zoals wat ik eet, hoe ik geslapen heb en of ik wat geld bij me heb.

Die zomer at ik elke dag savaringebakjes.

De geitenkaas was allang op, alle vijf droomden we ervan dat een van ons een pakket van thuis zou ontvangen. En allemaal wisten we min of meer dat dromen via de hoornen poort kwamen, zoals bij de oude Grieken, en dus niet echt waren.

Op een dag heb ik mama opgebeld.

Ik vroeg niet meer: 'Missen jullie me?' Ik vroeg: 'Wat eten jullie?'

En mama, ineens de waarheid getrouw, iets wat nogal tegen haar natuur was, zei tegen me: 'We hebben een kip geslacht en ik heb een soepje gemaakt en pilav. Ik zat net met papa aan tafel.'

Ik gooide de hoorn op de haak en vluchtte.

Ik wachtte hem op, op het bankje, braver en liever dan ooit. Ik had honger, als hij nu eens niet meer kwam opdagen?

'Ja, ik heb goed geslapen.

Ja, ik heb lekker gegeten (knipoog).

Natuurlijk wil ik een savarin.'

Hij zat nu dicht tegen me aan.

'En, als u het mij veroorlooft te vragen (hij was een betere acteur dan ik, hij deelde de woorden in lettergrepen, hij beklemtoonde de woorden en gaf ze, zo leek het wel, het gewicht van zijn hoofd dat hij licht naar rechts boog wanneer hij een syllabe accentueerde), waarom draagt u dichte schoenen bij deze hitte?'

En, om me duidelijk te maken dat de vraag retorisch was: 'Kom, laten we samen gaan kijken voor sandalen. Ik wil uw tenen zien.'

Zou hij weten dat de middelste teen van mijn voet langer is dan mijn grote teen?

In het dorp waar ik geboren ben, zeggen ze dat wij, houdsters van een dergelijke teen, weduwen zullen worden, dat we nog lang zullen leven na de dood van onze man.

Dat leek me logisch en niet iets om je voor te schamen, maar desondanks verborg ik mijn tenen.

Nog nooit had ik zo'n teen bij iemand anders gezien, als ik de nichtjes van vaders kant even buiten beschouwing laat. Niemand in het Internaat had zo'n teen (ik kijk nog steeds aandachtig naar de tenen van anderen), alleen Jezus op orthodoxe iconen heeft zo'n teen. Dat streelde mijn ijdelheid, maar ik kon toch niet beweren dat we rechtstreeks van hem afstamden, zelfs na de Revolutie niet.

Maar in de sandalen die we kochten leek de teen, vooralsnog, niemands leven in gevaar te brengen.

Als beloning voor de sandalen sprak ik met mijn weldoener een uur lang druk over *schoonheid als fysieke sensatie* en wat de auteur voelt '*wenn literarische Texte etwas bewirken*', over de groene, kleurloze ideeën van Chomsky, trots dat in onze stoffige bibliotheek niet alleen Roemeense klassieken te vinden zijn.

Ik praatte gehaast, de woorden kwamen met een regentje spuug mijn mond uit en hij bracht zijn gezicht snel bij het mijne om mijn speeksel te kunnen opzuigen en me in de ogen te kijken. Ik probeerde niet meer te spugen.

Omdat ik toch ook een beetje huiverig voor hem was, begon ik de uiteenzetting van ideeën van voor af aan en we spraken elkaar tegen, terwijl we (ik heimelijk, hij openlijk) elkaar in de ogen keken.

De wijze waarop jij mij ziet is onzichtbaar voor mij en de wijze waarop ik jou zie is onzichtbaar voor jou. Ik kan jouw gevoel niet voelen, jij kunt mijn gevoel niet voelen, allebei zijn we personen die onzichtbaar zijn. Ervaring is derhalve de onzichtbaarheid van een persoon ten opzichte van een ander persoon.

Mijn mond begon droog te worden en ik was ervan overtuigd dat ik de hele theorie ter plekke had uitgedacht en zeker niet dat ik het ergens had gelezen.

En hij was ervan overtuigd dat ik geen bijles nodig had de komende zomer, wanneer ik toelatingsexamen voor de universiteit zou doen.

In de sandalen trilden mijn tenen van vreugde, ik had zo graag gewild dat ik dit aan mama en aan papa kon vertellen, maar dat ging niet, vooral niet na het neergooien van de hoorn.

Wie had kunnen vermoeden dat hij niet mijn vader of grootvader was? Ik las in de ogen van de mensen op straat dat hij inderdaad mijn vader of grootvader kon zijn, niemand keek nog langer naar ons. Dus, zei ik nonchalant, kunnen we elkaar morgen ontmoeten bij het winkelcentrum, beneden, in de Konditorei?

Een van de meisjes had me verteld dat ze daar een vruchtenijsje had gegeten en ik had gehoord dat sommige mensen vruchten aten als ontbijt. 'Dus, wat doen we, zo vroeg mogelijk?'

Nee, morgen niet, hij brengt zijn vrouw naar het vliegveld, want die gaat op bezoek bij hun dochter die in Nederland met een Nederlander is getrouwd.

En overmorgen ook niet, hij krijgt een vriend op bezoek die een dag of twee bij hem blijven zal.

Hij zal me komen opzoeken bij de poort van het Internaat.

Vroeger zou het idee dat hij me zou komen opzoeken bij de poort van het Internaat me hebben afgeschrikt, maar als we afspraken dat hij de vader of de grootvader was?

Bij die gedachte veranderde de gêne in iets wat lijkt op het schuim of de bubbels van een schuimwijn, een kleine prikkel, iets van ongemak dat niet langer duurde dan een tel, als het doorslikken van water in de mond.

Ik blijf de hele dag binnen, op de kamer. Ik weet niet wat ik moet doen. Het hele tehuis stinkt, wij, die vijf fantastische meisjes, schijnen de wc verstopt te hebben. Waarmee? We eten immers bijna niets.

'Met maandverband, jullie gooien je maandverband weg. Hufters!' brulde de man die geroepen was om de wc te komen ontstoppen.

Hij maakt ons uit voor hufters, maar hij geeft ons geen klap, zoals papa bijvoorbeeld zou doen, die zou mijn oor zo ver ronddraaien dat de trechter van het oor zich zou sluiten, verstopt zou raken en nog uren achtereen zou branden, met hoofdpijn en koorts tot gevolg.

Deze meneer, die verongelijkt de wc ontstopt, doet een reusachtige, lange handschoen aan en met deze uitrusting stopt hij zijn hand heel diep, tot aan zijn schouder, in de afvoer van de wc.

Hij deed me denken aan de dierenarts die zijn hand in de kont van de koe duwde. In de kont?

Ik denk het wel, ik voelde me misselijk worden en begon te rennen, ik zag niet goed waarheen.

In de wc werd natuurlijk geen maandverband aangetroffen, niemand van ons had maandverband. Wij gebruiken watten, watten blijven niet goed tussen je benen zitten, als je een flinke stap zet, vallen ze ertussenuit. Vooral als ze er al twee dagen zitten, worden ze hard en lijken wel een gebitsafgietsel geworden, want de van urine of bloed doordrenkte watten nemen de vorm van de twee schaamlippen aan en worden hard. De dentaire moulage heeft dus, al naar gelang, twee kleine voortanden, als de bloemblaadjes van een roos, of wat grotere, als eetlepels ongeveer.

We draaien de watten tussen de benen naar alle kanten, met de schone zijde aan de binnenkant; wanneer de watten veranderen in een stuk vlees waaruit bloed druppelt of wanneer het bloed door de pluk watten dringt en langs de benen omlaagsijpelt, gooien we de boel weg. Als we toiletpapier hebben, wikkelen we ze daar een paar maal in en gooien ze in de prullenbak.

De prullenbak legen we niet dagelijks, de lucht die uit de mand komt verandert elke dag: eerst ruikt het krachtig, de geur is te sterk om te kunnen beslissen: ruikt het nu lekker of juist vies? Na een dag zou je zeggen dat het stinkt, de derde dag wordt de geur zoetachtig en wanneer het bloed is opgedroogd en de prullenbak paars gekleurd, ruikt het helemaal niet meer.

Met die paarse watten zou je iemand een gat in zijn hoofd kunnen slaan, of ten minste licht verwonden. Toen we met meer dan vijf meisjes in het tehuis leefden, dat wil zeggen: met ruim tweehonderd, kon je zulke brokken bloed in de gangen aantreffen, of in de kamers, onder de bedden.

Sommige moeders hadden, druk in de weer met het slachten van kippen, de kans aangegrepen te vertellen hoe het ongeveer zit met die ongesteldheid.

De mijne niet. Ik kreeg mijn menstruatie tijdens een zomerkamp; een zak vol met door bloed bevuilde onderbroeken verzamelde ik en toen ik geen enkele schone onderbroek meer had, heb ik het verteld aan de leraar, die toen een onderbroek in mijn maat plus een zak watten voor me heeft meegebracht en tegen me zei, terwijl hij me ernstig en tegelijk lief aankeek: 'Miertje, als je nog wat nodig hebt moet je het zeggen.'

Ik zit dus in mijn kamer. Als ik niets doe krijg ik misschien ook geen honger, maar dat is ijdele hoop.

Uit ervaring weet ik dat als je enkele uren lang overgeeft, je daarna geen honger meer hebt en niet meer aan eten denkt.

Maar ik kan niet kotsen op bestelling en ik ben niet misselijk, ik heb alleen honger. Ik doorzoek de kamer, misschien vind ik een tubetje mosterd, zo zou ik tenminste kunnen braken, ik vind een flesje eau de cologne dat op je huid blijft plakken als je het erop spuit. Ik open mijn mond: Pf! Pf! En nog een keer, ik kauw op de parfum, de mond vult zich nu met speeksel, de maag beweegt. Meer parfum kan ik niet inslikken en dus ren ik naar de pas ontstopte wc en steek mijn vingers diep in mijn keel. Het niets in de maag laat zich moeilijk in beweging zetten, het stokt in de keel, ik trek het met mijn hand verder en spuug. Spuug, maar de maag is al boos, ik ben misselijk, het lichaam concentreert zich nu om er weer bovenop te komen en ik heb geen honger meer.

We hebben afgesproken bij de metro, waar het koel is.

'Wilt u iets eten' betekent 'ik wil dat u iets eet', dus alleen hij hoeft het maar te willen, want ik wil altijd.

Een pizza. In een pizzeria waar twee tafels in passen en de jonge eigenaar, die onverschillig kijkt. Ik zou zachtjes huilen als ik niet dacht aan de pizza die voor mij gebakken wordt, ik bestel een 'quatro stagioni', want zo heet de zaak, het ruikt er zo sterk dat ik bang ben flauw te vallen nog voordat de pizza klaar is, de vloer is net gesopt, hij is vochtig, we drinken 'prigat', dat een hels lawaai maakt wanneer het de maag bereikt, alsof je van een brug af zit te urineren. De gedachte aan de pizza reduceert alle literaire theorieën tot abstracte definities die geen van ons beiden betwist, ook hij heeft helemaal geen zin in literaire theorieën, daar komt de pizzaaaa!

Hij wordt op tafel gezet met de zorg waarmee je een pasgeboren en ingebakerde zuigeling neerlegt.

De dampen komen ervan af, ik begin meteen en vraag voor de vorm: 'Wilt u ook niet?'

'Eet u maar', zegt hij en met een hoofdbeweging herhaalt hij de woorden die hij net heeft uitgesproken, ik zie hoe de onverschilligheid van het gezicht van de eigenaar verdwijnt zoals de zon 's middags achter de wolken kan verdwijnen; de jonge eigenaar kijkt naar ons, luistert naar wat we zeggen, hij spreekt weer in lettergrepen, hij wil behagen.

'En wat hebt u gisteren nog gedaan?'

Geïrriteerd zeg ik bijna 'Ik heb gewacht tot de wc ontstopt werd', maar ik houd me in, hij heeft toch niets verkeerd gedaan?

Heeft hij me bij mijn tieten gepakt?

Heeft hij door mijn rok heen mijn schaamstreek betast, zoals die jongen in mijn dorp?

Hij heeft niet eens mijn hand aangeraakt, hij heeft me geen enkel voorstel gedaan.

Iets zegt me dat ook zonder dat hij iets gedaan heeft er iets gedaan is, ik lees het in de ogen van de eigenaar.

Terwijl hij beleefd naar me kijkt hoe ik zit te eten, denkt hij bij zichzelf: Aan je tieten wil ik je door het huis slepen, ik wil je neuken, mijn vingers in je kut steken.

Je hele lichaam borstelen met een zachte borstel, met mijn tanden aan je rebelse haren trekken.

Je mond wil ik aan mijn kraan, ik wil je grijpen aan je haar, het knippen zodat je geen last hebt wanneer je me zuigt.

Ik wil je bedekken, je omklemmen, je verstikken, je mijn vinger laten voelen, eerst een, dan twee en daarna mijn hele hand erin, je gekreun wil ik horen, mijn hand die in jou een vuist geworden is eruit halen om hem er gelijk weer in te stoppen.

Ik zal niet schrikken van het bloed, ik zal je op een stoel tillen en ernaar kijken hoe het stroomt.

Ik zal je tanden aflikken, je tepels tussen mijn duim en wijsvinger vermorzelen, zachtjes zal ik blazen wanneer je vagina brandt.

Ik eet het laatste stukje pizza, ik zit vol. Hou ik wel van pizza?

Ik voel de neiging om op te staan en op de eigenaar af te stappen en hem te zeggen: 'Eigenlijk hou ik niet van pizza.'

In plaats daarvan kom ik zwijgend overeind wanneer de pizza en de twee prigats worden afgerekend met geld uit een zwarte, glimmende, lederen portefeuille, zo hoort het toch: van leer?

Papa heeft geen portemonnee en bewaart het kleingeld dat hij heeft in een kapotte damesbeurs, afgezet met kleine kraaltjes in alle kleuren, maar hij betaalt nooit wat, mama is degene die betaalt, uit haar grote rode portemonnee van hard plastic met al die vakjes waarin ze niets bewaart, op een honderdmaal dubbelgevouwen briefje van tien na.

'Zoudt u bij me langs willen komen?' vraagt hij me. 'Mijn vrouw is nog niet terug uit Nederland en waarschijnlijk komt ze ook nooit meer terug.' Hij lacht, ik glimlach en zeg oké, het is normaal dat ik bij hem langsga, we zijn immers vrienden en de rest van de dag denk ik alleen maar dat morgen de laatste dag van mijn leven zal zijn, dat hij me in mijn kont zal neuken zoals ik heb gehoord dat sommige mannen doen, dat hij me zal afstropen, dat hij mijn hoofd tegen de muur zal beuken en dat het bloed zal rondspatten zoals je ziet in films, dat hij me van buik tot billen zal openrijten, dat hij mijn ogen zal uitzuigen, dat het oogwit als een gebarsten gezwel over mijn wang zal stromen, dat hij een slang in mijn reet zal stoppen om te zien waar hij er weer uit komt, dat ik een bleek lijk zal zijn, zonder ogen.

Dat ik me van de tiende verdieping zal storten en dat ik, gelukkig, binnen tien seconden dood zal zijn.

Wanneer ik zal begrijpen wat hij wil zal ik eerst rond de grote tafel rennen, die ik me nog herinner uit de tijd van de Roemeense taaltest, de tafel afgedekt met een reusachtige glasplaat waarop mijn hand een vochtige afdruk achterlaat.

Zonder te schreeuwen zal ik door de smalle gang rennen, ik schreeuw nooit, ik haat schreeuwen, hij zal eten van een van mijn borsten totdat de lagen vlees en vet van het reliëf in de vorm van een borstberg zullen blootliggen, het spek van mijn borst zal er afzichtelijk bij hangen, hij zal me gevangen houden, zonder lucht, in een reusachtige pot of in een pan met sterk water, hij zal mijn nieren eruit halen en ze bakken en opeten, hij zal me neuken in de hoogste versnelling en zonder nog te stoppen, als een neukmachine, totdat alles in mij het zal begeven.

In een kleed zal hij me naar de kelder slepen en de ratten zullen mijn vingers en neus afkluiven, hij zal mijn nek afhakken met de bijl die hij in een kast verborgen hield, hij zal op me gaan zitten en zeggen 'hup paardje', hij zal mijn tong afsnijden en in zijn zak stoppen, mijn afgesneden tong zal hij ophangen aan de kroonluchter en daarna zal hij me laten zeggen:

de duivel moge mama halen
de duivel moge papa halen
die me brachten naar het Internaat
waar ik niets te eten heb
en zij zitten te slurpen aan tafel:
kippensoep
met echte bolletjes vet
die drijven in de soep!

Ik had niet gedacht dat ik mijn eerste sigaret zou roken in dit huis waar ik ooit sidderde uit angst voor een test in de Roemeense taal.

Ik zat netjes met mijn benen over elkaar, ik rookte en dronk Turkse koffie die was bereid in een klein keukentje, zoals ik zelf ook ooit graag zou willen hebben.

Hij verontschuldigde zich schijnheilig voor de rommel in huis, een teken dat hij gewend was aan gasten in huis, van het mannelijke of vrouwelijke geslacht, en aan conjunctuurgebonden leugentjes.

Hij ging behoorlijk ver van mij vandaan zitten, ik vroeg me af of hij me wel goed zou kunnen horen.

Hij hoorde me perfect, hij zat als een cobra klaar om aan te vallen.

'Sinds wanneer weet u dat u gemaakt bent voor de literatuur?'

Ik ken de datum precies, toen mama me toewenste dat ik in domheid dood zou gaan en ik dacht dat ik op dat moment ook echt zou sterven, al wist ik dat ik niet dom was, en ik een avond lang heb gewacht tot ik dood zou gaan en er niets gebeurde en ik dacht dat de dood een soort ... literatuur was, zo'n dood sprak me wel aan.

'En was u nog maar zeven jaar oud? Formidabel, dan bent u echt formidabel!'

Ik dacht, terwijl ik een trek van mijn sigaret nam, dat we bezig waren met een televisie-interview.

Wanneer leggen we onze kaarten op tafel?

'Wilt u iets eten?'

Het klonk niet echt retorisch, zoals in de stad, en ik zei: 'Alleen als het geen frommage avancé is', we lachten allebei, het was het soort antwoord dat hij zou hebben gegeven.

Hij vertelde me over de filosofie en haar tendensen, dat de Fransen schijnbaar nog steeds de besten waren, maar dat Alain al achterhaald was, dat de Duitsers nog steeds worstelden met *De sterrenhemel boven mij en de morele wet in mij*, dat de Chinezen nooit verder zouden komen dan Marx of Mao zo je wilt, en dat de Amerikanen altijd Amerikanen bleven. Zij aten grote porties, en gros, en namen de filosofie niet en detail. Ik had argumenten om hem tegen te spreken, maar hij was nog niet klaar.

Dat de Nederlanders een stroming predikten die de laatste tijd steeds meer voet aan de grond kreeg; van zijn dochter, die artikelen uit vaktijdschriften voor hem vertaalde, had hij begrepen dat zij het over een nieuw humanisme hebben (dat vond ik verdacht veel klinken als neocommunisme) en een postmoderniteit van de moraal. Was dat niet een beetje te veel van het goede?

'Ik heb gelezen dat je daar, bijvoorbeeld, wanneer je een huis koopt, verplicht bent om een levensverzekering af te sluiten, die in het gelukkige geval, dat wil zeggen: het ongelukkige geval dat je overlijdt, wordt uitgekeerd aan je kind. Dus in plaats van dat je je omdraait in je graf omdat je dochter jouw hypotheek moet aflossen en moet betalen tot ze grijze haren heeft, komt de dood met een dikgevulde envelop! En voor de dikke envelop betaal je elke maand een kleine bijdrage. Dat vervangt ons bidden in de kerk om toch vooral niet ten onder te gaan voordat je al je schulden hebt afbetaald, de aalmoezen, de dodenmaaltijden, de betaalde voorbeden.'

'En is dat het nieuwe humanisme?'

'Dat kan zijn, maar in ieder geval is het postmodern denken.'

'Postmortaal wilt u zeggen', grapte ik.

'Moraliteit', betoogde hij, 'heeft betrekking op het beschermen van het individu via zorg, solidariteit (aha, neocommunisme), erkenning en samenwerking.'

'Maar dat brengt me op de reden waarvoor ik je hier heb uitgenodigd', zei hij en ik zag mijn tong al postmodern opgehangen aan de toonkast met zeldzame edities.

De Amerikanen liet ik voor wat ze waren, zij die ons bijna vijftig jaar in het communisme hebben laten zwemmen, en ik wilde gaan verzitten op de fauteuil, om me stevig vast te grijpen.

'Zoudt u niet', begon hij, en hij maakte de zin niet af.

Er verstreken uren, misschien wel twee dagen, mogelijk twee weken, misschien was ik al drieëntwintig geworden, nee, dat nou ook weer niet, na een lange tijd keek hij me opnieuw aan en herhaalde: 'Zoudt u niet een kind met mij willen maken?'

Ik kan niet zeggen dat ik erg geschokt was, ik dacht dat 'een kind met mij maken' slechts een manier was om het te zeggen, maar hij sprak me tegen: 'Mijn dochter ... is mijn adoptiefdochter, van mijn vrouw uit haar eerste huwelijk en ... ik ben niet zo jong meer (ik stelde vast dat hij bij die woorden niet auto-ironisch lachte, het was bijna dramatisch) en mijn vrouw is op een leeftijd gekomen (hier lachte hij, maar *no comment*, de vrouw was de leeftijd van de eisprong voorbij) en dat is mijn grote spijt: dat ik geen kinderen heb.'

Nu was het mijn beurt om iets te zeggen.

Ik had willen zeggen dat ik nog maagd was, maar ik was er niet zo zeker meer van, ik had het graag willen controleren, maar niet onder dergelijke 'omstandigheden', om zo te zeggen.

'Ik denk niet dat ik in staat ben,' zei ik, 'ik denk niet dat ik in staat ben om ...'

En hij hielp me een handje: 'U hebt zulke volwassen meningen, ik dacht dat ...'

Ik was eigenlijk best wel gevleid dat iemand me serieus nam, maar toch, dit leek wel te serieus.

'En hoe ziet u dat dan voor u?' vroeg ik en hij had zijn antwoord al klaar: de kracht van het voorbeeld.

'Mijn vriend, de literair criticus (wauw, gelezen, gewaardeerd, maar ook niet overdreven veel) bevindt zich in een soortgelijke situatie (hm, interessant!) met een mevrouw (het zweet brak me uit), ik bedoel een meisje (dat klinkt toch beter, denk ik), hij heeft een klein appartement voor haar gekocht ...'

Meer wilde ik niet horen.

Het duidelijkst was dat ik niet elke dag meer zou eten.

En het pijnlijkste was dat dat niet eens het ergste was.

Iemand had zich een tijdlang mijn lot aangetrokken, iemand had me elke dag gevraagd hoe ik had geslapen.

Ik legde mijn hoofd in mijn armen en begon te huilen. Als een kind dat ik was.

Toen hij mijn schouders aanraakte bewoog ik me naar hem toe, met mijn mond, met gesloten ogen. Het was goed zo, met de ogen gesloten. Eerst was het een kusje op de wang, dat afdaalde naar de mond, hij raakte mijn bovenlip.

Probeert u eens een mond onderweg te stoppen, dat zal u niet lukken.

Mijn borsten beroerde hij pas de volgende dag, nadat ik al drie koppen koffie ophad en ik de theorie van 'de dikke ik' en van het nieuwe humanisme bestreden had.

Ik was niet dol op strelingen over mijn borsten, dat zal ik nooit worden.

Het fijnste vond ik zijn tong, zacht en sterk tegelijk, een echte tong, die ik die zomer hooguit een of twee keer in verwarring heb kunnen brengen. Een tong die onderwerpt en streelt, die geeft en ontvangt, die je overal betasten wil.

Ik was zelfzuchtig en laf, ook al vind ik excuses voor alles wat ik heb gedaan.

Wanneer hij mijn broek probeerde los te maken, trok ik hem weer omhoog.

Hij is met zijn tong tot iets onder mijn navel gekomen en ik heb nooit oog in oog gestaan met zijn geslachtsdeel.

Die zomer (en daarna zou ik hem nooit meer zien, alsof hij niet bestaan heeft) heeft hij zich nooit ontkleed of zijn broek losgemaakt.

Ik was degene die was aangeraakt, degene die was gestreeld, die was besnuffeld en gevoed, degene die was gegroeid (die zomer groeiden mijn tepels van vlekjes ter grootte van een vingertopje tot de omvang van een twee-euromuntstuk).

Die zomer heeft hij een winterjas en laarzen voor me gekocht, hij heeft mijn tandarts betaald en mijn kleine uitdrukkingsfoutjes in het Roemeens gecorrigeerd, fijnzinnigheden.

Alles wat ik voor hem heb gedaan, is dat ik hem mijn hele zomer heb geschonken, dat ik mijn leugenachtige ogen naar hem toe heb gedraaid en hem heb toegestaan dat hij mij in zijn armen sloot.

Ik ben nooit erg genereus geweest in de liefde en misschien had ik daar toen mee moeten beginnen.

De nachten woelde ik in bed totdat de meisjes wakker van me werden, ik betastte mezelf en hield een vunzig dagboek bij.

Tot meer was ik niet in staat.

Soms zag ik hem zo in de war door mij, zo uit zijn doen.

Op zulke momenten had ik hem willen strelen, maar ik zag mezelf al mijn hand optillen om een zo oud hoofd te strelen en het leek me raar, ongepast.

Strelen wij onze grootouders ooit? Waarom doen we dat niet? En onze vaders? Ik in ieder geval nooit.

Het werd herfst, wij vijven werden wij tienen en daarna weer tweehonderd.

Het laatste jaar, nieuwe boeken, voorbereidingen voor de universiteit, toetsen.

Ik haalde alleen maar hoge cijfers, ik praatte net als hij, ik had geleerd dezelfde zinnen te maken, de docente Roemeens liet me lessen verzorgen in haar plaats.

De kantine was weer open, al vanaf de eerste schooldag.

We hadden geen portier, we kwamen en gingen wanneer we wilden.

Ik vond mijn eerste baantje – ik haalde kinderen op uit lagere klassen en bracht ze thuis, waar ik ze hielp met het huiswerk maken.

Soms kreeg ik ook wat eten, een andere keer een panty.

Moeders, vaders, hun kinderen.

Ik keek hoe ze elkaar omhelsden, hoe ze elkaar liefde gaven.

Ik heb de zotte man nooit meer gezien en nu is hij dood.

Zou hij onlangs overleden zijn? Zou hij al lang dood zijn?

Hij is een bijzonder goede vader geweest, zoals hij zo graag wilde zijn.

Of ik ergens spijt van heb?

Ja.

Dat ik zelfzuchtig ben geweest als een dom wijf, dat ik vooral de stomme regels van de wereld waarin we leven in mijn hoofd had geprent, dat ik de rits van mijn broek heb vastgehouden, niet met de onschuld van een kind maar met de arrogantie van een taboe dat zelfs door de mondiale postmoderniteit van de moraal nooit en op generlei wijze zal worden aangetast.

Ik werd toegelaten tot de universiteit.

Ik dacht dat mama en papa weer van me zouden houden, zoals van de verloren zoon die terugkeert naar huis.

Maar de eerste keer dat ik bij hen op bezoek ging vertelde mama dat ome Vasile de buren had toevertrouwd dat ik in Boekarest voor geld met zwarten naar bed ging om te overleven en dat ik tot geen enkele universiteit was toegelaten.

Toen ik dat hoorde stopte mijn hart met slaan. Ik had niet de moed te vragen wat papa ervan zei, maar mama had de vraag gehoord: papa wil niet met je praten.

Ik stond perplex.

Wat had het nog voor zin om oom Vasile met iets voor zijn kop te slaan?

Ik ben teruggekeerd naar Boekarest.

Een nieuwe weg van de eenzaamheid begon, de tweede.

Of lag die gewoon in het verlengde van de eerste?

Ik wil graag geloven dat het de tweede was, dat er ook nog andere zullen volgen, maar daartussendoor zal ik beminnen en bemind worden, ik zal mijn kind grootbrengen en het, zo goed een moeder kan, behoeden voor de lange wegen van de eenzaamheid en ik zal proberen mezelf te accepteren, en zelfs een beetje van mezelf te houden, zo, zoals ik ben.

# O mio babbino caro

Het station van het dorp waar ik ben geboren ligt onder aan een berg, een vrij steile berg. Je zou kunnen zeggen dat het station is gelegen in een reusachtig ravijn.

Vanaf de berg zag je de treinen naderen en verder rijden, want er waren er maar weinig die stopten op het kleine station.

De meeste mensen hadden daar vrede mee, anderen wachtten op geen enkele trein meer, en wierpen zich in de afgrond, waardoor ze een twijfelachtige bekendheid verworven, want aan de voet van de berg stonden hun namen gegrift op kruizen die zigzag langs de weg waren opgericht door familie of vrienden.

Een klein clandestien kerkhof, want noch de pope noch de burgemeester erkende het, maar beiden tolereerden het als een toeristische eigenaardigheid van het dorp dat onofficieel begon met de doden in het ravijn en officieel met de levenden, die hardnekkig bleven vragen om vergunningen voor bouwwerken op het plateau van de berg, daar waar de kruizen eindigden.

Komend van het station, terwijl ik tussen de kruizen door loop, zie ik papa staan, hoog op de top van de berg. Bovenaan, als het standbeeld van Jezus in Brazilië.

Ik zie het vaak op tv, dat standbeeld met die gespreide armen, Jezus die ons redt.

Papa wilde mij ook redden, hij wilde me veilig thuisbrengen, tenminste wanneer hij niet dronken was, anders moest ik hem redden, hem veilig thuisbrengen. Van beneden af, vanuit het ravijn, kijk ik naar boven, naar papa-Jezus en ik durf te wedden dat hij me niet herkent. Vijf maanden geleden, toen ik voor het laatst thuis was, heeft hij vanaf de top van de berg tot zichzelf gezegd, terwijl hij keek naar de zwijgende karavaan die zich tussen de kruizen door wurmde op weg naar boven: 'De dikste, de derde in de rij, is die van mij.'

Nu heb ik mijn maag kapotgemaakt, alles wat ik eet kots ik weer uit, maar pappie kan eindelijk trots zijn: immers, wie kan in vijf maanden zo'n twintig kilo kwijtraken? Over een week zal ik in een ziekenhuis liggen, in een enorme zaal, omringd door bedden met mannen, alcoholisten met een maagzweer, bleek en ongeschoren, maar ongelooflijk aardig voor het meisje dat dezelfde ziekte heeft als zij.

'Het is de eerste keer dat een vrouw, een meisje, is opgenomen in onze vleugel. Weten jullie zeker dat ze geen jongen is?' zal een van hen vragen.

'Nou, laten we haar vannacht controleren', zal een ander voorstellen of niet voorstellen, hij zal het doen of niet, of hij zal zich tevreden stellen met het doorbladeren van mijn boeken op het kastje bij het hoofdeinde van het bed, in het geniep. Godzijdank gaat in een ziekenhuis het licht nooit uit.

Bij daglicht zal hun generositeit geen grenzen kennen: 's ochtends hoef ik niet om zes uur met een lege maag in een ellenlange rij wachtende zieken te staan om daarna een stevig glas barium te slikken en met een koud apparaat mijn maag te laten bevoelen en te scannen.

Ik ben de eerste die het goedje opdrinkt, dat ik onmiddellijk tot de laatste druppel zal uitkotsen in de mannen-wc. Naast mij zal een man, zo wit als een lijk, grote groene rochels spugen, de ogen waarmee hij naar me zal kijken zullen ook wit zijn.

Morgen gaan ze dikke, lange slangen door onze keel persen, in mijn kleine buik zal dezelfde slang passen als in hun grote buiken.

Twee reuzen zullen me stevig vasthouden aan mijn armen, de dokter zal de slang met handige bewegingen manipuleren, zonder zich te haasten, ik zal me loswerken, gek geworden van het plastic monster dat door mijn darmen en hersens woelt en ik zal de dokter proberen te belemmeren om nog meer slang door mijn keel te duwen. Maar mijn handen reiken niet hoger dan zijn broek, ter hoogte van zijn geslachtsdeel, dat niet onverschillig blijft onder mijn wanhopige massage.

De dokter schatert het uit en propt nog een meter slang in mijn lijf. Die zal spoedig langs mijn kont naar buiten komen. De reuzen laten mijn handen begaan die aan de broek van de dokter trekken, aan zijn riem, iemand heeft, heel edelmoedig, de deur van de spreekkamer opengezet, zodat de dertig mannen op een rij kunnen meegenieten.

Als je van beneden af, vanuit het ravijn, roept, dan kan de degene die boven staat, op de top van de berg, je horen. Maar ik roep niet en papa ook niet, over twintig minuten zal ik boven zijn. Ik word ingehaald door auto's met vrolijke ouders en kinderen, ze halen me in op de hellende rechte stukken, in de bochten haal ik hen in, zij zullen er net zo lang over doen als ik.

Ik heb het gevoel dat ik plotseling vrouw ben geworden, ik

ben zo mager dat ik vind dat ik langer lijk, ik heb make-up op, hakken en een bontjasje aan, het is waar, hier en daar is de vacht kaal, het haar valt nog steeds uit als je het probeert te borstelen, het is een vijfdehandsvosje, met net iets te lange mouwen, maar toch een vos, op Rita Hayworth lijk ik niet, maar ik ben, als je van ver kijkt, een echte lady.

Misschien vindt papa dat wat.

Het feit dat ik zo mager ben geworden heeft direct te maken met het bontjasje – ik heb het jasje op een vlooienmarkt gekocht met het geld dat was bedoeld voor een abonnement om drie maanden lang te kunnen eten in de kantine van de universiteit.

Ik weet nu: als je drie maanden achtereen droog brood met mosterd eet dan val je zo'n twintig kilo af.

Met de jongen die met mij naar bed wil ben ik naar de markt geweest. Hij baalde ervan, hij begreep niet waarom ik vrouw wilde worden, waarom niet voor altijd dat meisje blijven dat seks wil? Maar ik wilde de vrouw met het uitvallende bontje zijn.

Papa vindt mij leuk, misschien.

Papa vindt hem maar niets, hij heeft dat in spaarzame, maar duidelijke bewoordingen gezegd.

Daarom zal ik papa niet meer over hem vertellen, maar over die andere jongen, die zegt dat hij bij een bank werkt. Papa zal dat heel fijn vinden, jammer dat het niet waar is. Zijn vader werkt bij de bank, de jongen niet. Maar papa verdient het om één keer in de vijf maanden tevreden over mij te zijn.

Papa weet ook niet waar ik woon.

Bij een mevrouw zonder benen, papa, ze heeft een halve kont en een halve kut, maar wel alle tien haar vingers. Ze heeft om drie uur 's nachts naar de politie gebeld dat ze een dief in huis heeft die haar mosterd opeet.

Dat was ook niet helemaal waar. Ik at inderdaad haar mosterd op, maar ik betaalde elke maand de huur en ze vergat dat regelmatig. Het feit dat ik boodschappen voor haar deed telde niet en ook dat ik haar boodschappen betaalde telde niet. Want ze wilde niet geloven dat er buiten een Revolutie was geweest, dat Ceaușescu dood was en dat de prijzen omhoog waren gegaan.

De politieagent die langskwam begreep de situatie en hij geloofde me. Hij gaf me geen boete voor de mosterd, maar wel een goed advies: 'Zoek iets anders om te wonen, er zijn zat huizen, misschien wat duurder, maar wel rustiger.' Ook een politieagent kan zich vergissen.

Ik deel nu dus een appartement met een meisje dat niet kan praten, ze is dus stom, maar wel prostituee. Zo lang als de nacht duurt kloppen er mannen, vaak met hun broek al open, aan de deur.

Het is goed dat papa niet weet wat voor geluiden een stom meisje allemaal uitstoot in een nacht. Ik deed eerst geen oog dicht, ik moest er iets aan doen. Daarom wacht ik haar klanten buiten op, voor haar deur. Ik herken ze meteen, dronken, rits open, verlegen, en ik breng ze met de lift weer naar beneden.

Ik verbaas me er ook over dat geen enkele man me ooit een klap geeft of een schop of me in het nauw wil drijven.

Er zijn ook nog goede mensen op de wereld.

Wanneer het stomme meisje even pauze neemt, begint de jongen van de ondergelegen verdieping stennis te maken. Hij kan blijkbaar niet tegen stilte.

Hij schreeuwt, brult, hij breekt meubilair in stukken.

De stomme gaat met me mee om aan te bellen, maar wanneer hij in de deuropening verschijnt, vlucht zij naar boven. Ik dreig dat ik de politie zal bellen, hij rent door het huis, gooit daar dingen ondersteboven en trekt met veel lawaai kasten open.

Hij schreeuwt vanuit de keuken, binnen een seconde ruikt het naar verbrande huid.

Ik brul nu ook en alle buren komen naar buiten.

Ik wil een ambulance bellen, de buren zeggen dat we beter z'n moeder kunnen bellen.

Ik ben doodsbang, maar bel z'n moeder, die binnen vijf minuten arriveert.

Ik verwacht dat ze me beschuldigt, dat ze mij aan de politie overlevert.

De sukkel heeft zijn linkerhand verbrand.

'Het is niet de eerste keer', zegt de vrouw. 'Misschien is het beter als God hem op een dag wegneemt.'

Boven blijkt dat de stomme gewoon is gaan slapen.

Ik zou moeten profiteren van de rust en haar voorbeeld volgen.

De ochtend is nog ver.

Maar ik wil niemands weg naar God vergemakkelijken, en dus pak ik mijn spullen.

De felrode lipstick laat ik achter voor de stomme, zij houdt meer van die kleur dan ik.

Ik neem mijn dode vacht en tas en ga naar papa voorlopig.

Ik vind wel een ander huis als ik terugkom.

Papa heeft nooit de kans gehad om te studeren, als kind op de basisschool kon hij een studiebeurs krijgen, maar opa wilde daar niets van weten, dus sloeg hij papa in het maïsveld net zo lang tot papa bewusteloos neerviel.

Zo was het onderwerp voor altijd afgesloten.

Als ik las kwam papa naast mij staan om te vertellen dat hij als kind Winnetou had gelezen.

Daarna had hij stukken uit kranten gelezen en het Roemeense woordenboek, pagina voor pagina, en een Geschiedenis van de Wereldliteratuur. Hij kende, nadat hij jarenlang dat boek had herlezen, alle voornamen van de wereldschrijvers uit zijn hoofd. Iemand die de voornaam van Ibsen niet kende, had de kans op zijn respect verspeeld.

Toen ik ging studeren stopte papa met het lezen van het woordenboek.

Hij zei dat hij geen geduld meer had, maar ik wist dat er meer aan de hand was. Met zijn rechteroog kon hij de kleine letters niet goed meer onderscheiden.

Dat hij later een ongeval kreeg op zijn werk waarbij hij zijn linkeroog beschadigde, was geen toeval, het was slechts het gevolg van het feit dat hij met één oog geen diepte kon zien en dit verborgen had gehouden.

De dokter die hem heeft geopereerd raadde hem af om een schadevergoeding te eisen, maar papa zou daartoe niet eens de moed hebben gehad.

Later, na zijn herstel, heeft de fabrieksdirecteur (nog steeds dezelfde als in de tijd van Ceaușescu) die de fabriek voor een habbekrats had opgekocht na de Revolutie, want wie zou hem willen kopen als hij het niet deed, papa de hand geschud en allebei waren ze tevreden geweest. De directeur omdat papa geen rechtszaak tegen hem was begonnen wegens ondeugdelijke omstandigheden waardoor het ongeluk had kunnen gebeuren en hij voor de rest van zijn leven het licht uit zijn linkeroog was verloren en papa tevreden omdat hij terug mocht naar zijn werk, waar hij alleen vrienden had die in hun leven nog nooit van ene Ibsen hadden gehoord.

Toen ik een keer onaangekondigd thuiskwam, heb ik papa gezien terwijl hij met paard-en-wagen (die had hij waarschijnlijk van opa gehuurd, want opa leende nooit iets uit) koeienstront naar de immense tuin van de directeur reed.

Papa zat op zijn kont boven de enorme berg koeienstront, een perfecte metafoor voor zijn waardigheid in een land zonder waardigheid. Ik zag hoe mooi hij was. Zijn prachtige witte wang, met zijn schitterende huid, zonder rimpel of vlek, waarom elke vrouw hem benijd zou hebben. Zijn ogen, het rechter, groot en blauw, en het linker, het gekwetste, klein en grijs, leken exotische bloemen die uit de vruchtbare berg mest ontsproten waren.

Hij keek naar me en deed alsof hij me niet zag, ik zei evenmin iets, ik liep verder naar huis en we hebben nooit gesproken over de kar met stront.

Over een paar jaar zal hij met pensioen gaan, de regering zal hem om de drie maanden korten op zijn pensioen, hij zal het besluit van de regering iedere avond voor de tv vervloeken, bij het nieuws, zoals hij vroeger voor de tv foeterde op Ceaușescu.

Het verschil is dat de zendtijd toen twee uur per avond bedroeg en papa nu kan kijken zolang hij wil, als hij met zijn andere oog nog wat ziet en als hij aan het eind van de maand nog genoeg geld heeft voor de factuur.

Als we thuis zijn gaat hij naar zijn kamer en ik naar de mijne.

Onderweg zullen we converseren als twee oude Grieken in een agora, ik zal hem vertellen dat Mendeleev tijdens zijn slaap op het idee was gekomen om de chemische elementen in te delen op basis van hun atoommassa.

Dit soort dingen vindt mijn vader leuk.

Of dat bij de Minangkabau-stam, een klein moslimvolk, waar de dominantie bij de vrouwen ligt, meisjes de trots van hun ouders zijn.

Maar zal ik hem dat echt vertellen? Durven we te converseren over de rechten van vrouwen?

Hij zou eerder het verhaal slikken dat in het restaurant *Boedapest* in Boekarest (in de buurt waarvan ik niet veel jaren daarna een tijdje zou wonen), in de tijd van Ceauşescu mensennieren werden geserveerd.

Ik zal hem vertellen dat ik lesgeef aan iemand die mij daarvoor betaalt, dus dat ik al geld kan verdienen voordat ik ben afgestudeerd. Nu hoeft papa niet meer bij opa te smeken (zonder tranen, denk ik, maar de stem klonk echt naar huilen): 'Vader, leen me wat geld om haar iets te geven, we zijn helemaal blut, maar ik zal het je snel terugbetalen.' En opa zal niet meer antwoorden, kortaf maar met het schuim op de mond, alsof hij reeds een uur had staan vloeken: 'Heb ik niet!'

Ik vertel papa dat ik het hele jaar zal lesgeven aan deze jongen, hij is een paar jaar jonger dan ik, hij woont alleen in een groot huis. Meer wist ik op dat moment niet, en als ik het had geweten zou ik het niet aan papa vertellen: dat de moeder van de jongen aan leukemie was doodgegaan.

Ik kon ook niet vermoeden dat dat mijn volgende huis zou worden en dat de kamer van de dode vrouw mijn kamer zou worden.

Dat de jongen niets in de aan mij verhuurde kamer wilde veranderen, dat mijn kleren tussen de kleren van de dode vrouw op een stoel zouden liggen, dat in de badkamer nog haar borstel vol haar, haar haar, lag, dat ik in haar bed, onder haar deken, zou slapen. Ik zal in het begin heel bang zijn, paranoïde, ik zal denken dat ik de eierdoppen bij het vuilnis heb gegooid, maar ze liggen nog steeds op het aanrecht in de keuken, haar keuken, ik zal ze nogmaals weggooien bij het vuilnis en ze zullen opnieuw op het aanrecht in de keuken liggen, ik zal niet kunnen slapen van angst, maar wanneer de jongen geen geld meer zal hebben om de lessen te betalen, zal ik wel de rode laarzen van zijn dode moeder aanvaarden.

Zij droeg maat 40, ik 35, maar dat zal niet uitmaken, het zullen mijn eerste rode laarzen zijn, rood als de schoenen van Dorothy.

Met hen zal ik de stad doorkruisen en ik zal recht in de ogen van de mensen kijken om te zien of zij weten dat de laarzen zo veel maten te groot zijn.

En omdat ik in de ogen van de mensen niets zal ontdekken, zal ik tevreden naar mijn rode laarzen kijken, zo lang en geconcentreerd dat ik op het trottoir in het centrum van de stad zal opbotsen tegen een ... olifant, want het circus zal de stad aandoen en voor aanvang van de voorstelling zullen ze met de menagerie een tocht maken om publiek te trekken. Noch ik noch de olifant zal schrikken, maar alleen ik zal lachen.

Alles zal goed aflopen, ik zal ook daarvandaan vertrekken, uit dat huis. In feite is er daar niets gebeurd. Waarom zou ik papa dan vooraf bang maken?

Ik zal de top van de berg bereiken, ik zal hem omhelzen, we zullen de tas vol boeken samen delen, zoals elke keer, de een zal een hengsel dragen, de ander het andere. We zullen doen alsof de mensen in hun huizen niet bestaan, bijeengekomen rondom de tv of de tafel, we zullen de uit de kroegen gewaggelde dronkaards voorbijlopen, we zullen kijken hoe de maan opkomt, verblind door de duisternis zullen we turen in de ravijnen langs de weg, we zullen de krachtige geur opsnuiven van de seringen in de tuinen van de mensen en we zullen anders lijken dan iedereen.

Misschien leek alleen het meisje in de mythologie dat is geboren uit het hoofd van haar sterke vader op mij.

Als er thuis, nadat de avondschemering is ingevallen, iemand aan de deur klopt, stuurt mijn vader mijn moeder naar de deur: ga jij maar kijken wie er is.

Mijn moeder zegt dat hij te bang is om zelf te kijken en mijn vader lacht. Zijn oren bewegen raar heen en weer bij alle geluiden. Als hij een geluid hoort bij de buitendeur plakken zijn oren helemaal tegen zijn hoofd.

Wie is er aan de deur?

Heeft de Securitate iedereen gearresteerd en is alleen papa achtergebleven om niets anders te doen dan vloeken op Ceauşescu?

Papa heeft geen oren meer.

Als ik zeg 'lieve pap, er staat een zigeuner buiten die het paard van opa wil kopen voor een appel en een ei' zal hij dat dan horen?

Of misschien is het opa die het geld dat je gister van hem hebt geleend vandaag al terug wil, anders kan hij niet slapen met zijn hoofd op de blikken trommel vol geld in plaats van op een kussen. Of iemand van de militaire dienst die jou mist, want je wilt nooit iets vertellen over die tijd toen je je haar verloor en je na een jaar dienst compleet kaal weer thuis bent gekomen.

Je bent bang dat het die man is van de bocht bij de school wiens benen je hebt gebroken. Ook jij was niet heelhuids uit de om niets begonnen strijd gekomen, je had wonden aan je hoofd en armen. Mama heeft je naar het ziekenhuis gebracht en toen ik thuiskwam uit school sprak iedereen bij de halte over jullie, en de tante die nooit met mama praat en dus ook niet met mij kwam gretig naar me toe om me alles in geuren en kleuren te vertellen.

Zij zegt dat je vanaf toen niet meer de moed hebt gehad om over de brug te gaan als ook die man van de bocht bij de school over de brug liep. Jij hebt me eens verteld over die keer dat je met natte voeten thuiskwam dat je door het water had gelopen omdat er een grote os over de brug liep.

Je had de os laten oversteken en ik denk dat je er goed aan hebt gedaan, want zo heeft opa ook gehandeld met die witte stier die drie jaar lang in het donker was opgegroeid. Toen opa hem na drie jaar losliet uit de stal hebben we ons allemaal verstopt in huis, achter de ramen, en toch stond ik nog doodsangsten uit tot het moment dat de zigeuners die het dier kwamen kopen hem met touwen hadden vastgebonden en op een Daktari-jeep hadden geladen. Alsof hij de schaduw van een onzichtbare matador geroken had, wierp de stier met zijn snuit al het grind van de binnenplaats in een corrida waar maar geen einde aan kwam.

Er is niemand aan de deur, pa, ga maar terug naar bed. Ik vraag je niet wanneer je die muts eens van je ogen haalt om de wereld weer te zien.

De dokter vertelt ons dat de laatste oogoperatie niet is gelukt, maar ik snap dat niet en mama ook niet, want je laat ons nooit je oog van na de operatie zien. Ruim een jaar geleden heb je een muts over je ogen getrokken, over allebei. De muts reikt tot onder je neus.

Mama zegt dat ze wil scheiden als je nog langer Zorro blijft spelen.

Er is niemand aan de deur, papa, onder je muts kan ik je oren zien, ik zie ze bewegen, je oren zijn banger dan je zelf bent.

Mama lacht je uit en stuurt jou naar de deur. Ze is vast vergeten hoe je vorig jaar met Pasen op het dak van het huis van opa wandelde als op de boulevard. De televisieantenne van opa was kapotgegaan en hij had het briljante idee gehad om jou het dak op te sturen om hem te repareren.

Op het hellende dak liep je perfect recht, je gleed niet één keer uit, je voet aarzelde geen seconde. En je maakte de antenne.

'En dat omdat hij dronken was!' verpest mama alles, maar wie is er nou niet dronken op de dag van de Geboorte van de Heer?

Toen het dat jaar míjn verjaardag was, wist niemand dat, ik moest dus mijzelf een cadeau geven en ik kocht een kaartje voor een lezing over Roemeense dichters. Ik vond het leuk om mijn verjaardag, de dag en de maand, op de grote posters te zien aangeplakt in de stad en te zien geschreven onder de namen van een paar grote dichters.

Op de posters stond ook het tijdstip waarop ik mijn verjaardag zou beginnen te vieren, ergens na het avondmaal.

Omdat ik geen abonnement meer had voor de kantine (och, die bontjes die pas een prijs hebben als ze dood zijn!) ging ik maar wat eerder, om zeker te zijn van een plaatsje vooraan.

Het had flink gesneeuwd, dus het was niet makkelijk om in het centrum te komen, waar de lezing gehouden zou worden. Ik kon uit alle stoelen kiezen en zo zou het de hele avond blijven, want er kwam helemaal niemand naar de lezing, behalve degene die hem zou geven (een dichter die nooit de faam zou verwerven die hij eigenlijk verdiende, met baard en bakkebaarden, verlegen, maar voortdurend koortsachtig, met een groot hart waarin hij een paar jaar later een even groot mes zou steken, dat hij had vastgeklemd in de tevoren goed afgesloten deur en waarin hij zich met al zijn kracht en dwaasheid van een anachronistische dichter zou werpen) en ik.

We hebben allebei bijna een uur gewacht, in de hoop dat er niemand meer zou komen, en zijn uiteindelijk weggegaan, blij als scholieren van wie er een uur wiskunde uitvalt, om wat te drinken.

Hij heeft me een onvergetelijke lezing gegeven, hij heeft me ervan verzekerd dat me een geweldige toekomst wacht (hoevelen hebben het geluk te worden toegesproken door het orakel van Delphi op hun verjaardag?) en we zijn richting zijn huis gegaan.

Ik dacht er helemaal niet aan dat ik nog nooit met iemand naar bed was geweest, het idee echter dat ik twee broeken over elkaar aanhad, vanwege de kou buiten, zat me enorm dwars, hoe moest ik ze uitkrijgen?

Het bleek niet meer nodig, onderweg kwamen we een vriend van hem tegen die ons uitnodigde om een video te komen kijken bij hem thuis. Op zoiets was ik echt niet voorbereid, dus ben ik lopend alleen naar huis gegaan, verheugd dat ook iemand anders dan ikzelf meent dat de toekomst goed klinkt.

Maar ook dat kan ik niet aan papa vertellen, want papa is om ik-weet-niet-wat voor redenen van mening dat niet alle kippen eieren leggen.

Het is zijn favoriete gezegde waarmee hij iets over mij duidelijk wil maken.

Papa heeft mij altijd zien stotteren wanneer het pak slaag dat ik van hem kreeg niet een simpel pak slaag was, maar een 'pak slaag als de zus van de dood zelf'.

Dan bleef ik dagenlang stotteren en sloeg ik mezelf op mijn hoofd om van dat gehakkel af te komen, dat me nog meer vernederde dan het pak slaag.

Papa weet dat ik de rotatiebeweging van de aarde nog steeds verwar met die van de omloop van de aarde, ook al ken ik de betreffende definities uit mijn hoofd.

Papa weet dat ik niet iedere avond mijn tanden heb gepoetst.

Papa weet dat de eerste jongen op wie ik smoorverliefd werd me in de steek heeft gelaten.

Zoals de dokter op mijn longen, toen ik penicillinekuren kreeg, gedetailleerd de kaart van Nederland zag, is het ook mogelijk dat papa, net als alle vaders, gelijk heeft: 'Niet alle kippen leggen eieren.'

Papa is een keer van de berg afgekomen om mij in de stad te bezoeken.

Hij kwam met de trein, ik wachtte hem op bij het station en herkende hem niet: hij had een baard, ik had hem nooit met baard gezien.

Uit het zwarte T-shirt moest ik opmaken dat opa overleden was: op de berg was hij in slaap gevallen naast het paard dat aan het grazen was.

Blijkbaar was dit meer dan een gewone slaap en mijn vader had dat pas begrepen toen het paard 's avonds alleen was thuisgekomen.

De stad viel papa tegen en hij wilde meteen weer naar het station, toen een man op straat naar hem toekwam, hem apart nam en hem vroeg, terwijl hij gelijk ook naar mij keek: 'Wat heb je met haar gedaan dat ze bij jou blijft?'

Misschien had een andere man dat als een compliment opgevat, maar papa trok de conclusie dat de man mij kende. Meer hoefde hij niet te weten en hij heeft mij niets gevraagd.

Wie vraagt kan bergen doorkruisen en wie niet vraagt, verdwaalt zelfs op een vlak stukje land. Papa nam, bang dat hij zou verdwalen in zo'n grote stad, de eerste trein terug naar huis.

Mijn vrouwelijkheid bevalt papa niet.

Ternauwernood verhul ik mijn borsten onder herenhemden.

Misschien als ik mooier was ... of misschien als ik niet van hem was ...

Als ik een voetballer was.

Een keer is papa mijn kamer binnengekomen en is hij meteen weggegaan: mijn beha hing aan de deur van de kast.

Film konden we ook niet samen kijken: in alle films kusten mensen elkaar en als dat gebeurde begon papa vreselijk te wiebelen totdat ik de kamer uit liep. Als ik deed alsof ik het niet begreep stuurde hij me de kamer uit.

Hem vertellen dat ik slaap in een souterrain waarin net een tafel past die zich 's nachts, als in een sprookje, omtovert tot bed, is ondenkbaar. Ik zou geen woorden kunnen vinden. Dat de zwervers uit het nabijgelegen park elke nacht op het raam bonken dat ik met zwarte verf heb afgedekt, zodat 's nachts van buiten het licht niet meer te zien is dat de zwervers lokt, die het zelfs zonder tafel-bed of bed-tafel moeten stellen; de zwarte verf is uitgevloeid tot over alle Roemeense Literatuurgeschiedenissen die op de plank onder het raampje netjes op een rijtje staan, zodat de 'Geschiedenissen' (hoezeer ze ook onderling verschillen door de persoonlijke smaak van de auteurs die hun duels uitvechten in die boeken) op deze wijze een gemeenschappelijke noemer hebben gekregen – mijn zwarte verf die zich gelijkelijk heeft verdeeld over alle boeken op het plankje.

Het souterrain is eigenlijk een opslagplaats voor de vaten wijn van de bewoners van de verschillende verdiepingen en de kelderkast waarin mijn tafelbed past is ooit het hokje van de portier van de flat geweest, in de tijd dat flats nog een portier hadden.

's Nachts zingen de vaten, eerst een somber geborrel dat, tegen de ochtend, overgaat in liedjes over mensen die niet in de gaten hebben hoe snel het leven voorbijgaat, over meisjes die hun moeders danken voor de liefde die ze van hen krijgen, over tragisch geëindigde liefdes die nooit vergeten worden.

Tot rust gekomen door de in de weeklacht van de vaten met most dichtbij gekomen verre wereld, begeef ik me naar de colleges op de universiteit, waar ik blijf zitten tot ik op de bank in slaap val.

Als papa dit alles zou weten, zou hij misschien zeggen: 'Hé *Mihăița* (de mannelijke variant van mijn naam), kom maar terug naar huis.'

En dat kan niet meer.

Wie moest anders tijdens de colleges de docent gelijk geven als deze met zijn uitpuilende ogen vraagt: 'Is het niet zo dat Picasso meer een handelaar was dan een schilder?'

Daarover zal ik het met papa hebben en hij zal zeker zeggen: 'Zeg gewoon wat iedereen zegt, probeer niet boven het maaiveld uit te steken.'

De laatste bocht.

Voor mensen die zich bergafwaarts haasten heeft de bocht ook een paadje om hem af te snijden.

Ik loop bergopwaarts, het ravijn met het station en de kruizen ligt achter me.

Ik kies niet voor het sluipweggetje, ik adem diep in, ik hang mijn tas goed op mijn schouder.

Ik maak een knoopje los van de dode vacht, waarvan de mouwen steeds langer worden.

Ik kijk naar de laatste restjes sneeuw langs de waterstroompjes, die, tot beneden, bij het station, net als ik, de lange weg kiezen, maar dan in tegengestelde richting, en zullen zingen:

*O, mio babbino caro,*
*Mi piace, mi piace molto.*

Ik kom boven op de top van de berg, ik kijk naar papa en spreek de eerste leugen uit: 'Hé, pap, ik wist zeker dat je op me zou wachten.'

# Lief kind van mij

*Lief kind van mij, mijn liefde.*

*Vandaag heb ik de papieren getekend: je gaat naar Nederland.*

*Mijn huid, mijn velletjes, mijn lieve lippen, knieën, tenen en ronde billen, kind, oren, moedervlekje, lieve navel, schoenen en jurken, speldjes voor in het haar, zoete darmen, stralend speeksel, allerliefst haartje, vogeltje, kind, beeldschoon porseleinen anusje, hoop, klein wonderlijk leven,*

*mama gaat dood.*

*En jij gaat naar Nederland.*

*Daar wordt al op je gewacht, een lange vrouw met kort haar en een man, iets korter dan zij, die heel snel Roemeense woorden heeft geleerd:* ţuică.*

---

* Roemeense traditionele pruimenjenever.

De vader hield ook van dit woord, meer van dit familiewoord dan van de eigen familie.

Ik heb hem nooit goed gekend, hij mij ook niet en we hebben elkaar van een afstand gerespecteerd.

Met de moeder heb ik drie of vier keer in hetzelfde bed geslapen: zij sliep en ik raakte haar buik aan, als ze met haar rug naar mij toe sliep beroerde ik zacht haar rug.

Eens per week sloot de moeder zich van ons af in de pronkkamer, waar niemand binnen mocht.

In het begin krabbelde ik aan de deur, ik smeekte haar om me binnen te laten: mama was een vrouw die niet te vermurwen was.

Die kamer heeft voor mij altijd een mysterie gehad: als kind geloofde ik dat de moeder daar eten verstopte, want onze koelkast was altijd leeg op extracten en aroma's na voor een taart die nooit gebakken is en een pan met een slappe soep van witte bonen zonder witte bonen.

Later, toen ik op school zat, geloofde ik dat juist daar de wonderlijke Aleph van Borges te vinden was, de plaats waarin alles te zien, te begrijpen en te vinden is, marsepein of het lijk van Jimmy Hoffa.

Maar eigenlijk was de kamer bijna leeg, een kast met twee uitgedroogde leren jassen, van de ouders van de vader. De jassen waren zo droog dat ze gewoon rechtop konden staan, op een heel enge manier, als de Headless Horseman. Tussen de jassen stonden de legerlaarzen van mijn opa: korporaalslaarzen gemaakt van kalfsleer en daarom minder droog dan de jassen. Om die reden werd er ook op geaasd door twee van mijn neven; toen de kamer voorgoed openging, omdat de moeder niet meer de behoefte had om zich te verstoppen, wilde geen van beide neven de laarzen aan de ander laten, dus heeft de ene neef één laars meegenomen en de ander de andere.

De kast had ook een kleine lade met foto's, veel foto's op

klein formaat, meestal van de moeder. Portretten. Ik was gefascineerd door die foto's, want hoewel daarop alleen het hoofd van de moeder stond afgebeeld kon je toch zien dat ze enorme borsten had. Misschien begrijp je nu waarom Victoria di Samotrace bij de entree van het Louvre zo bijzonder voor mij is. Je vroeg me vorige zomer in het Louvre waarom dat mijn favoriet is.

Het ontbreken van een detail kan belangrijker zijn dan de aanwezigheid van het geheel.

In een hoekje van de pronkkamer, aan de linkerkant, stond een kapstok met een hoed erop.

In dezelfde lade, tussen de andere foto's, lag ook een foto van mij en de moeder: zij droeg op die foto de hoed van de kapstok. Het was een goedkope hoed, gemaakt van karton en in een te grote maat voor haar, dus op de foto zie je wel haar borsten, maar het hoofd niet. Alleen het gezicht vanaf de neus en daaronder.

Jaren later (ik woonde toen niet meer bij de moeder en de vader) is in die kamer een bed geplaatst. Het matras had een bijzondere geografie van urinesporen, concentrische cirkels, zoals een naïeve Gustave Doré kinderachtige kringen van het Inferno heeft getekend.

De nachten van degene die op het bed sliep moeten een purgatorium zijn geweest, want de veren sprongen en bij elke beweging maakten ze een geluid als van het ontkurken van flessen.

Het bed was gebracht voor de moeder van de moeder, de kille kikker die altijd stonk naar haar vagina. Het is een geur die ik snel herken. Later inhaleerde ik soms, gedreven door de kracht van de herinneringen, dezelfde geur bij mijn vrouwelijke klasgenoten: de geur van het menstruatiebloed plus, zoals bij alle beroemde cosmeticahuizen, een ander mysterieus ingrediënt dat niet makkelijk te traceren valt. De kille stinkende kikker logeerde dus een paar jaar bij de moeder, want op haar vijftigste werd ze angstig in haar eigen huis. Ze had ook een man die van het woord 'ţuică' hield, en zoals dat vaak gebeurt, dat onze liefdes ook onze dood worden, kreeg hij een acute dodelijke cirrose. Volgens mij werd hij te veel in beslag genomen door zijn eigen alcoholisme om iets bijzonders in zijn leven te kunnen doen, maar hij hield van bloemen en tuinieren en hij was de eerste die me meegenomen heeft naar het bos. Met hem heb ik voor het eerst gelopen op het groene bont van de kleine valleien, met hem heb ik de meest giftige rode en gele paddenstoelen geplukt en weggegooid in de rivier, voordat we weer terug naar huis gingen.

De eerste sneeuwklokjes plukte ik midden in het bos. 'Kijk daar eens,' riep hij, 'daar en daar staan er nog meer', mijn hart klopte zo hard, ik zal zo'n mooi boeket maken voor de moeder!

Ik kan het boeket niet meer omvatten met beide handen, ik verkwist de bloemen, ze vallen op de grond. Opa zit op een heuveltje en kijkt naar mij.

Als beloning zal ik straks al zijn puisten uitknijpen op zijn vettige grote neus.

Een ander geliefd woord van opa was 'slet' en bij hem stond het woord synoniem voor 'mijn vrouw', want zo noemde hij de kille kikker meestal. In haar aanwezigheid legde hij ook een bepaalde dramatische intonatie in het woord.

Toch was het woord niet altijd genoeg voor opa. De kille kikker had regelmatig blauwe ogen en ontwrichte ledematen en ze ging regelmatig bij hem weg.

Als kind heb ik haar een keer eten gebracht toen ze als 'vluchteling' in een greppel vlak bij het huis zat verstopt na een korte maar krachtige vechtpartij. Ik had een enorme sandwich gemaakt. Om overtuigend over te komen at ik zelf een klein stukje van de sandwich en al bijtend defileerde ik met de sandwich voor opa langs. Ik herinner me dat hij mijn 'spel' waardeerde, hij lachte me uit en hij zei: 'Zeg maar tegen haar dat ze terug naar huis mag.'

Waaruit blijkt dat kunst het leven redt.

In hun huis heb ik tussen oude communistische tijdschriften een notitieboek ontdekt (ik was niet ouder dan acht en al voor altijd toegewijd aan het lezen) dat mijn jaloezie opwekte: zo'n geweldige kalligrafie, zulke uniforme en mooie letters en geen enkele inktvlek (dat was toen in die jaren mijn eigen specialiteit). Maar de blos van de jaloezie veranderde snel in een blos van schaamte: de mooie kalligrafie vertelde (en ik kan me niet meer herinneren hoe ik dat toen zo snel kon begrijpen, welke vertelwijze de schrijver had gekozen) over een coïtus tussen een vrouw en een hond. Het ras ben ik vergeten, maar het was zeker geen chihuahua.

Het samenleven van de opa en de kille kikker was voor mij altijd een paradox en hun huwelijk een van de dingen die beëindigd zouden moeten worden, hoewel niemand de moed had om het te doen. Maar als zij niet samen geweest zouden zijn, zou de moeder niet hebben bestaan – en dat zou op zich geen ramp geweest zijn – maar vervolgens ik ook niet en van wie zou jij je temperament hebben, *kleine Edna*?

Maar niet alleen de zaadjes van de opa hebben na generaties zo'n bloem voortgebracht, hijzelf had tijdens een van zijn eenzame reizen door het wilde bos waarin geen ander mens durfde binnen te treden, een van de zeldzame soorten bloemen in de Balkan ontdekt en met wortel en al uitgegraven en vervolgens aan de Botanische Tuin gegeven.

Het was de *Teucrium ajugaceum*, misschien de betoverovergrootmoeder van de banale munt, maar met geweldige roze bloemen en met een onvergetelijke geur. Voordat de bloem naar de Botanische Tuin werd overgebracht, was ik – tijdelijk – haar enige bewonderaarster.

Het feit dat de moeder mij een 'slet' noemde lijkt een familiegewoonte, maar het is het gevolg van heel veel onwetendheid, laten we zeggen op het gebied van de oudheid.

Want ik ben wie ik ben, in bed maar ook buiten het bed, door mijn grote liefde voor de oudheid, in alle betekenissen.

Na goede seks (twee procent van mijn seksleven) voelde ik me als een pas gepoetst kopje dat netjes in een open kast is gezet.

Goede seks heeft met mij altijd gedaan wat Mary Poppins met de rommelkamer deed: magie.

Na goede seks werd alles hierboven geordend, afgestoft. Tussen mijn vagina en mijn hersenen heeft altijd een rechtstreekse lijn bestaan, zonder tussenstops.

De borsten hebben altijd een apart leven geleid.

Ze waren meer een logeerkamer voor eventuele gasten.

Daar, op het veld van de vagina, waar het bloed zo gemakkelijk schuimen gaat, waar de zon ondergaat en opgaat, opgaat en ondergaat, daar, op het doorzichtige vlees als van een slak, de zwarte doos van het leven van de vrouw, daar wordt de strijd gevoerd met genot en elan en het veld strekt zich uit tot over de huid van de ogen, van de neusgaten en van de mond. Het oog dat overblijft geeft de wereld plaats in rekken, hangt hem netjes op hangers, bedankt iedereen, tevreden over zichzelf.

Tijdens mijn eerste kinderkamp (ik was een jaar of zeven) heb ik begrepen dat seks(ualiteit) een solitaire activiteit is.

Het was zo koud in onze kamer dat onze docent (een Italiaan) mij iedere nacht nadat mijn kamergenoten in slaap waren gevallen (om ze niet jaloers te maken) in zijn armen naar zijn eigen kamer bracht, die verwarmd was. Alleen mocht ik niet meteen gaan slapen, eerst moest ik (en ik was iedere keer gehoorzaam) naar hem kijken. Alleen kijken.

Voor mij, staand, masturbeerde hij, elke keer weer. Het kamp duurde altijd twee weken, ieder seizoen. Tot ik voor de eerste keer ongesteld werd, ging ik mee.

Jaren later, na de Revolutie, heb ik hem bij het centraal station gezien, met een groep kinderen. De kinderen vertelden me dat ze naar een tennistoernooi gingen.

'Valentino, *do you remember me*?' heb ik hem theatraal gevraagd.

Hij zei niets, dus ik hielp hem een handje. 'Je hebt voor mij op een boek een bloeiende cactus getekend en op de cactus heb je je eigen naam geschreven en op het bloemetje mijn naam.'

Ik wilde hem vertellen dat ik nog steeds af en toe droom dat we op kinderkamp zijn en hij me vraagt of ik zijn kapotte broek wil repareren, maar ik heb niet aangedrongen. Mensen vergeten vaak dingen, maar ik herinner me alles, ook hoe hij zijn nocturne activiteit noemde: 'mijn solo'.

Hé, heb je het niet koud meer? Kom je niet voor een solo?

Een van mijn favoriete bijbelverhalen is dat van Susanna en de ouderlingen en ik herinner me dat ik niet alleen de twee vieze mannen de schuld gaf, maar jarenlang ook Susanna: hoe kon je zo dom zijn om met hen naar de tuin te gaan? Zij krijgt ook haar deel van de schuld, want, en ik citeer hier de favoriete uitdrukking van de moeder: waar rook is, is vuur. Toen ik jaren later voor de eerste keer verliefd werd op een jongere man, heb ik het verhaal herschreven. Als jij benieuwd bent naar het verhaal, luister dan, lief kind.

*Zij, Susanna, was toen niet zo jong meer als sommigen zeggen.*

*Ze was wel iemand die in sommige culturen beter dood kon zijn dan levend.*

*Maar mooi was ze, inderdaad – geen blond haar of blauwe ogen, zoals de schilder Wtewael ons heeft laten zien, maar donker haar dat ze gewoon recht en los droeg en donkere, verdrietige ogen. Roze lippen die nooit rust hadden op een witte huid, geërfd van haar blonde (hij wel) vader.*

*Getrouwd, met twee kinderen, was ze toen gelukkig. Volgens haar familie.*

*Maar wat er in de ziel van een vrouw gebeurt, weet zelfs God niet.*

*Sommigen zeggen dat Susanna altijd een passie had voor oudere mannen. Maar hebben wij vrouwen niet altijd die passie, voor onze vader, bijvoorbeeld?*

*En nog iets wat duidelijk moet zijn voor iedereen: er waren niet twee mannen, het was er maar een en Susanna heeft hem in de kerk leren kennen.*

*Is hij schuldig?*

*Dat moet God nog beslissen, want wij kennen de omstandigheden tot nu toe helemaal niet.*

*Een man had eerder al met Susanna gesproken en Susanna raakte geïnteresseerd in alle religieuze en onopgeloste problemen.*

*Toen hij haar hand de eerste keer aanraakte, voelde Susanna wat ze ooit eerder in haar kindertijd had gevoeld: dat alle bergen sneeuw (waardoor haar vader tunnels had gegraven) waren gesmolten en ze zag, eindelijk, de hemel (die de hele winter onzichtbaar was geweest).*

*En, als een gehoorzaam meisje, zoals iedere vader zich wenst, wilde Susanna meer naar hem luisteren en zijn aanraking nog eens voelen en nog eens.*

*Wilden ze dat allebei?*

*Misschien, maar wat ik wil zeggen is dat zíj het zeker wilde.*

*En wat ik ook nog wil zeggen is dat zij zonder die aanraking niet meer leven kon.*

*Toen hun contact beklemmend werd, begon hij zich zorgen te maken en heeft hij geprobeerd het te verminderen.*

*En toen, ziek door die geheime liefde, moest Susanna het verhaal veranderen – en dat verhaal hebben wij geloofd.*

*Wat ik nog wil zeggen, wat ik zeker weet, is dat Susanna de noodzaak van de veranderde versie altijd heeft betreurd.*

Ik heb grote voeten en grote handen. Mijn voeten stinken altijd. De moeder vond dat ik niet op haar leek, dat ik de knieën van mijn tante heb. Als ik mezelf bevredig, kijk ik in de grote spiegel voor het bed. Ik zie mezelf niet, ik zie het hoofd van de moeder. Ik ben de moeder en de vader tegelijk, door de spasmen lijkt mijn gezicht zo imbeciel (in de film van Woody Allen lijken de mensen in de orgasmatron – *la machine infernale* – zo gelukkig).

Ik vroeg aan de moeder of het waar is dat alle mannen zo graag seks willen.

'Och, och,' zei de moeder, 'je vader wel!'

Ze ontleent aan haar persoonlijke ervaring de wijsheid dat je 'aan de man moet geven wat hij nodig heeft'.

Ik heb de vraag zelf gesteld, maar ik voel me zo ongemakkelijk onder het antwoord, niet omdat het over de moeder en de vader gaat, maar omdat het *zo* gaat.

We hebben visite.

Een docent van mij met zijn vrouw en kinderen, twee dochters, jonger dan ik, en een zoon van mijn leeftijd. De vrouw is mooi en alles wat de moeder niet is: slank, zacht en lief, verliefd op haar man. Mijn ouders zien hen voor het eerst in hun leven, maar ze accepteren graag hun voorstel dat ik een week bij die familie zal gaan logeren. De docent zal me bijles geven, want op het gebied van de geometrie ben ik de chaostheorie zelve.

En les krijg ik, dertig kilometer van mijn huis vandaan, terwijl ik in de rij sta voor tomaten. De docent schrijft met het krijtje op het asfalt. Hij maakt een tekening van twee elkaar overlappende deelverzamelingen. Alle mensen uit de rij kijken naar hem, luisteren naar hem, de hele rij krijgt bijles. Thuis wacht zijn verliefde vrouw op hem. Maar hij wil mij nog een les geven, over de congruente verzamelingen. De rij is langer geworden.

Hij pakt me bij mijn linkertepel, want ja, het valt niet te ontkennen dat ik tepels heb. Ik begrijp niets van de congruente verzamelingen en niets van de rij.

'S Nachts zoekt zijn zoon (die onder mijn bed slaapt, we slapen in een stapelbed) mijn hand, hij aait mijn hand de hele nacht. 's Ochtends krijg ik van hem een perzik, die ik in mijn koffer stop.

De docent deelt me mee dat ik morgen naar huis moet. De week is nog niet om, maar toch.

Ze brengen me niet terug met de auto, ik ga alleen naar het station, zijn vrouw huilt.

Ik ben bang, heel bang, om alleen met de trein naar huis te gaan. Eenmaal bij het station haal ik opgelucht adem. Ik had het gevoel dat ik zelfs geen lucht meer kreeg, dat mijn blouse te klein was geworden, zozeer waren mijn borsten gegroeid. In één week tijd.

Onder het communisme, als je zo arm was als wij waren, had je (ik doel op mezelf) geen enkele kans. We kenden geen rijke mensen die jongens hadden van wie er misschien een met mij zou trouwen, om nog maar te zwijgen over het feit dat ik niet bijzonder mooi ben, eerder gewoontjes. Niemand van ons kende rijke mensen en we hadden ook geen idee wat rijk zijn inhoudt. Elke dag brood?

Nee, alleen armen eten brood.

Mensen die een auto hebben.

Mensen met een wc in huis, niet buiten, dertig meter verderop in de tuin.

De rijken zeggen: het is zo koud buiten dat mijn vingers bevroren zijn.

Wij zeiden: het is zo koud dat mijn kont bevroren is. Met je kont op het bevroren gat van de wc. We kregen hardlijvigheid, omdat we onze billen niet meer wilden laten bevriezen.

Je kon als kind van arme ouders ook een kans krijgen. Die heette: gaan studeren! De vraag is: mogen arme mensen wel slimme kinderen krijgen? Het communisme ging niet zo diep in zijn ideologie en de genetica was in het Roemenië van toen nog een kwestie van lot of bijgeloof. Toen ik een jaar of drie was, was ik in de ogen van mijn familie zo bijzonder 'anders' dat de kille kikker concludeerde dat ik snel naar de hemel zou gaan, naar een betere plek voor mensen zoals ik. En ja, als toen iets heel duidelijk was aan mij, was het dat ik zou gaan studeren. Rond mijn elfde begonnen de moeder en de vader links en rechts te informeren: wie kent er ouders van kinderen die studeren? Dat was de eerste stap.

De volgende stap voorwaarts werd gezet toen ze hoorden dat in een naburig dorp een alleenstaande vader woonde, wiens dochter juffrouw zou worden.

Eenmaal uitgenodigd bij ons thuis heeft die alleenstaande vader, die niets bijzonders had (als je niet meerekent dat de lange nagels aan zijn vingers net de hoeven waren van een te vroeg geboren kalf), gevraagd wat voor talenten ik had.

'Ze houdt van boeken, ze is gek op boeken', zei de vader en hij duwde me in de richting van de genodigde, alsof ik een of andere demonstratie zou gaan geven. Ik zei niets, maar de gast zei ‘heel goed’ en hij streek met zijn hoef over zijn rechterwenkbrauw.

De vader zei dat ik ook iets moest zeggen. ‘Ik hou van literatuur’, zei ik nu ook en de vader vervolgde: ‘Ze leest de hele dag, tot Ceaușescu de elektriciteit afsnijdt.’

Op een van de volgende avonden zonder stroom, toen ik naar binnen ging, heb ik de alleenstaande vader met de moeder in de keuken gezien. Mama zat op een stoel, hij naast haar, en met zijn hoeven streelde hij mama’s dikke haar.

Waarom liet mama zoiets toe?

In geen geval had het te maken met literatuur.

Na het Internaat ben ik een tijdje juf geweest in een weeshuis voor gehandicapte kinderen.

De kinderen daar hadden minder te eten dan wij thuis. Ik was de jongste juf daar en ik had met gemak de magerste kunnen worden, want na een week met die uitgehongerde kinderen kreeg ik in de pauze zelfs mijn eigen boterham niet meer door mijn keel. Ik kon die kinderen niets leren, ik kon alleen liedjes zingen, maar ik had toen meer behoefte aan huilen en schreeuwen. Het weeshuis was voor mij de meest cynische plek ter wereld, na de les ging ik altijd naar huis. Thuis lustte ik ook geen eten meer, ik had geen trek, ik ging direct naar de tuin, zat onder een appelboom. De hele zomer hetzelfde programma: trein – weeshuis – trein – appelboom.

Ik at niet, maar ik nam een sandwich mee voor mijn lieveling: een zigeunerjongetje met een mond die mij elke keer aan de evolutietheorie deed denken en een been zo lang als een spoorrail.

Wanneer hij liep, zou hij iedereen in een straal van vijf meter hebben laten struikelen.

De door de moeder gemaakte jam was keer op keer een delicatesse voor hem.

Het meest bijzondere aan hem ontdekte ik pas later, toen ik hem schreeuwend als een varken onder de douche zag staan: aan zijn kont hingen aambeien zo groot als bloemkolen, in enorme trossen.

Hij kon zijn kont niet afvegen zoals wij, gewoon met een goed verfrommelde communistische krant in de hand.

Daarom werd hij gewassen onder de koude douche door een zuster die zich er niet aan stoorde en daarom niet urenlang onder een vruchtboom moest zitten om bij te komen.

Ik heb een klacht ingediend bij de directie van het weeshuis en kreeg het antwoord terug dat de directie me succes wenste als ik van plan was om verder literatuur te studeren.

Dat plan had ik. Aan het einde van de zomer ben ik vertrokken naar Boekarest.

Een jaar later kwam ik toevallig een oud-collega van het weeshuis tegen bij het centraal station. Ik vroeg haar naar de kleine zigeuner met zijn buitengewoon lange been. Hij was gestorven aan een longontsteking en ja, ik begrijp het, van een longontsteking kun je doodgaan, niet alleen in Roemenië. Een tijdje geleden las ik nog in een krant dat twee beroemde jonge acteurs uit Hollywood aan die ziekte waren overleden.

Het dorp waar ik ben geboren is zo'n vijfhonderd jaar oud. Dat zie je nergens staan, dat heb ik van een liedje (geen ideologie, niet-patriottisch) begrepen. En nu staat het in Wikipedia.

Nog steeds is het dorp intact, zoals vijfhonderd jaar geleden.

Af en toe rijdt er in die richting een busje, voor de mensen die in de fabriek werken.

Heuvels, bossen, heuvels.

De mensen hebben overal paden gebaand.

Over de rivieren zijn geen bruggen. Soms namen de mannen hun vrouwen op de rug en droegen hen de rivier over. De vrouwen kraaiden gemaakt, Molière à la minute.

Af en toe was het water door aanhoudende regen zo hoog dat ook de mannen niet durfden oversteken. Zij die het probeerden, werden soms gegrepen door de stroom.

In zo'n periode zagen we voortdurend schapen en geiten die door het water waren verrast. We bleven machteloos in onze huizen totdat het regenen ophield. De honden die konden zwemmen klommen in de bomen.

Het gevoel dat we nietig zijn tegenover de natuur maakte ons euforisch, elkaars gelijken. Bij de schade werd niet lang stilgestaan. De mensen begonnen van voor af aan. Op blote voeten schepten ze, met blikken emmers, het water uit de huizen en de kelders, ze discussieerden of deze overstroming de grootste was tot nu toe of niet.

's Winters aten ze het gepekelde vlees van het vóór Kerst geslachte varken (wie een varken had) en de in kelders opgeslagen appels en peren.

De vader at 's winters elke dag een uur lang peren. Van de schillen maakte hij een berg die hij bij de kippen gooide.

De sneeuw op de heuvels was wit, die in de binnenplaatsen bevuild door urine, want niemand waagde meer de lange weg naar de wc. Daarna wreven we onze handen schoon met sneeuw, stampten we onze voeten om de modder af te schudden en gingen terug naar binnen.

Soms hadden we sinaasappels met Kerst, als je toevallig in de stad was wanneer een van de winkels sinaasappels kreeg aangeleverd. Dan aten we ze allemaal achter elkaar op en de schillen droogden we voor thee. Heimelijk wreef ik met de sinaasappelschillen over mijn armen, om lekker te ruiken.

Twee weken voor Kerst werd het varken geslacht, het vel werd geschroeid bij een vuur of met een brander op een gasfles. Het hele dorp rook naar verbrande huid. Dagenlang hoorde je alleen duister geknor en wanhopig gekrijs. De mensen haastten zich met het slachten. Als het donker werd, wilden ze niet nog met een heel varken op tafel zitten.

Zodra het spek eruit gesneden was, werd het gezouten en in de vriezer gelegd, of in de kelder, voor de maanden die zouden volgen. De ribben werden gerookt in een schuur (de katten en honden bleven maar rondjes draaien, soms had zo'n kat het geluk dat hij door een gaatje paste en dan verpestte hij met zijn tanden al het vlees).

De poten en de kop werden bewaard voor de aspic. De darmen werden schoongemaakt met een mes waarvan het lemmet niet geslepen was en ze werden ontdaan van alles wat het varken had gegeten op de dag voor zijn dood. Papa en mama bliezen erin en de darmen kwamen opnieuw tot leven, op een monsterlijke manier, heel eventjes maar. Ze leken nu wel de zo geliefde zijden kousen van Greta Garbo in *Ninocika*. De darmen die niet waren gebarsten of gescheurd werden bewaard voor de worsten, de kapotte darmen werden op de binnenplaats gegooid. Ook voor de honden en katten was het Kerst.

De maag van het varken werd gewassen als een stuk wasgoed, totdat de huid ervan piepte.

De lever en de nieren werden fijngehakt, vermengd met het vettere vlees en met dat mengsel werd de maag gevuld. Ik moest de maag daarbij aan een zijde vasthouden en de vader aan de andere. Daarna werd de opening met een dik soort garen dichtgenaaid en werd het geheel gerookt, zodat de vleescake op Eerste Kerstdag op tafel zou staan, naast de gerookte ham, mosterd en țuică.

Op de dag dat het varken werd geslacht werden de buren uitgenodigd om het doodsmaal voor het varken te komen eten: het nog niet afgekoelde vlees waaruit het leven van het dier nog niet geheel verdwenen was, gebraden in een koekenpan, opgediend met polenta. Daarbij werd țuică of brandewijn geschonken. Er werd gegeten tussen de grote stukken vlees. Op de grond in de keuken zag je nog volop viezigheid en varkensbloed. Als iemand per ongeluk in zijn hand sneed stroomde zijn bloed ook op de grond. Nog meer bloed. Een week lang werd de vloer niet schoongemaakt, totdat alles – het vlees voor de schuur en de kelder en het spek voor het vet – helemaal klaar was.

Om de kou te vergeten werd er veel ţuică met peper gedronken. Een week lang was het hele leven geconcentreerd in de keuken.

Het gebeurde weleens dat het varken, na de eerste stoot van het mes, ontsnapte aan zijn moordenaar. Dan grepen twee of drie mannen hem vast en klemden hem tussen zich in. Een van hen, met een vastere hand dan degene die het strottenhoofd had gemist, sloeg opnieuw toe. Het varken maakte geen enkel geluid meer, de mannen schreeuwden naar elkaar: 'Klaar, het is geregeld.'

'Goed gedaan.'

Degene wiens doodssteek niet gelukt was zocht een excuus: 'Ik had hem beter vast moeten houden, volgend jaar ...'

Volgend jaar een nieuw varken, nieuw bloed.

Van de vader was bekend dat hij een onvaste hand had. Toch lieten ze hem elke keer weer begaan. Hem lukte het niet in één keer, zelfs niet als hij een kip moest slachten. Ik keek toe, maar als hij toesloeg, wendde ik mijn blik af en keek naar de grond. Hij legde de kip op het hakblok, met een hand hield hij de kop vast en met de andere de bijl: *pak!*

Wanneer ik opkeek zag ik de kip spartelen op de grond, dronken, als in een tekenfilm. Maar zo verdoofd als de kip was, duurde het toch nog even voordat de vader hem opnieuw te pakken had en hem definitief guillotineerde. Daarna moesten de veren uit het nog warme lichaam geplukt worden, anders kreeg je ze niet goed meer los zonder het vel te beschadigen.

Je kon ook wachten en de kip eerst blancheren met kokend water, waardoor het lichaam opnieuw tot leven kwam, een leven dat eigenlijk niet meer dan dezelfde dood was.

Het kwam ook voor dat de klap de kop er toevallig in één keer afhakte en dat de kip, zo, zonder kop, van het hakblok afsprong en op de vlucht sloeg, zijn eigen dood tegemoet, een vlucht die soms wel een minuut kon duren en die veranderde in een dodendans, als bij een stam inboorlingen. Alleen danste bij ons de kip in zijn eentje, zoals hij ook in zijn eentje doodging en gekookt werd.

In mijn dorp gingen de mensen niet scheiden, de kinderen gingen er niet dood, er waren altijd gezegende bruiloften en voorspelde begrafenissen. Op school was ik niet de armste, zelfs niet een van de armsten. In de pauze stopte ik heimelijk mijn brood in de tas van de armste jongen, een wees die werd grootgebracht door zijn oma en altijd dezelfde broek droeg, met een touw bijeengehouden boven zijn blote kont. Op een dag scheurde zijn broek en zagen we allemaal zijn koekoek. Sindsdien zagen we hem elke dag, want niemand heeft zijn broek ooit genaaid.

In onze familie waren niet veel bruiloften. Ze verliepen als het slachten van het varken, waarbij de bruid het varken was. Zij ging in het wit, ze werd om middernacht gegijzeld door een van de vrienden van de bruidegom en tegen een grote som losgeld teruggegeven. De ruilhandel vormt het hart van het plezier en zegt veel over rangorden en rechten. Na de bruiloft veranderde de bruid plots in echtgenote. Ze werd dik, braaf en was altijd vol lof over haar man. De op de markt gekochte kalfjes zouden hetzelfde gedaan hebben als ze hun emoties hadden kunnen tonen.

De begrafenissen waren een ander hoofdstuk. Een tante van de moeder ging altijd alle begrafenissen af, en hoewel ze de overledene vaak niet kende, was zij steevast degene die zichtbaar en het meest geroerd was door het heengaan van de dode. Een bruiloft kende als sensatie slechts een gearrangeerde gijzeling. Nee, dan de begrafenissen: zelfs de meest banale kende gevallen van flauwvallen, optredens op het podium, horrorachtig geschreeuw, verzoeningen tussen aartsvijanden, en ze vormden altijd het begin van moeizame processen voor het verkrijgen van een stukje grond waarop je met goed fatsoen net vijf wc's kon bouwen, en dan nog zo dicht opeen dat de bezoeker ervan de andere kon aanraken.

Als kind moest ik mijn oma eens gedetailleerd een begrafenis beschrijven, want ze was zelf te ziek om vijf kilometer mee te lopen met de begrafenisstoet.

De plechtigheid had geen grote indruk op mij gemaakt, ik herinner me het witte paard dat gehaald was om de lijkkar te trekken. Het paard had aan elk oor een handdoek die na de begrafenis als vergoeding aan de eigenaar zou worden gegeven. Degene die was gestorven was een vrouw uit onze familie, de oma van de moeder, maar ik kende haar nauwelijks. Ze was haar laatste twintig jaar helemaal blind geweest en ik vond het heel gepast dat ze naar een plek ging waar ze niets te zien zou hebben.

Het leukst bij een begrafenis was altijd het gratis eten en mijn favoriete nagerecht is nog altijd een soort cake van graankorrels met noten en suiker die alleen bij begrafenissen wordt gegeten. Het brengt ongeluk als je hem zomaar bakt, dus het bleef een bijzondere traktatie.

En dan waren er de feestjes met leeftijdgenoten. Op zaterdagavond gingen alle jongens en meisjes (behalve ik) naar een soort disco. Ze vertrokken in groepjes, zaterdagavond, en kwamen zondagochtend als stelletjes terug. Een van deze adhocstelletjes heeft op weg terug naar huis een dood meisje gevonden, verborgen onder een armvol takken.

Ze was verkracht en gewurgd en wekenlang heeft niemand over iets anders gepraat. Vrij snel werd aangetoond dat de dader een van de zonen van de zus van de vader was. Hij verkrachtte het meisje in het donker, met een muts over zijn gezicht en toen hij klaar was heeft het meisje tegen hem gezegd dat ze hem kende en zijn naam ook. Dat deed hem de stap van verkrachter tot moordenaar zetten.

Jaren daarna, vele jaren daarna, ben ik eens verdwaald op een veld in Griekenland, in het donker. Ik werd angstig, bang, en ik begon te schreeuwen tot ik geen stem meer had. Ik wist dat ik dat voor dat meisje deed, dat door een in stilte uitgesproken woord in de duisterste duisternis was gebracht.

Lief kind van mij, ik moet je ook nog vertellen over de kleuren en geuren van mijn jeugd.

In het voorjaar kwam de gele kornoelje tot bloei, de eerste van alle vruchtbomen.

De kornoelje was van de buurman, hij gaf de grens aan tussen zijn tuin en de onze. Ik liep er schijnbaar toevallig langs, brak een tak af en rende ermee naar huis en drie dagen lang kwam de lente in mijn kamer.

Daarna volgden de zomerappelbomen. Wij hadden er geen, maar de buurvrouw wel. Of we kregen ze van iemand anders.

Ach, de frambozenstruiken. Frambozen rijpen met tussenpozen, vijf bessen 's morgens, nog drie tussen de middag, en 's avonds, voor de zon ondergaat, vooral als het ook heeft geregend, kun je nog eens een schootvol plukken.

Maïs. Ook maïs hadden wij niet, ik pikte de zachte kolven uit het korenveld van opa, wanneer hij niet thuis was. Ik pikte ook de zijde van de kolf, ik vlocht er vlechtjes van of mama legde die te drogen, goed voor nieraandoeningen.

Van hem stalen we ook de bonen. Met een emmer drong

ik door tot in het midden van het veld, verlamd door de angst van de gelegenheidsdief. Het veld maakte een onbeschrijflijk lawaai, vlak en intens, totaal. Datzelfde lawaai kwam op school uit een bol die het geluid nabootste van onze planeet in het universum. Niet voor niets bezoeken buitenaardse wezens altijd eerst korenvelden.

De bushalte bevond zich onder een zoete perenboom tot wier vruchten ik niet reiken kon. Maar als het hagelde en bliksemde vielen de kleine zoete peren met bosjes naar beneden en rende ik door de regen om ze als eerste te kunnen oprapen.

Langs de weg bloeiden gele bloemen, waaruit een dikke, gele stroop kwam wanneer je de bloemstengel brak. Daarmee kleurde ik bladzijden die ik uit mijn schoolschrift had gescheurd.

Op het dak van de schuur groeide een immense aloë-veraplant, als een dikke wrat vol most op het gezicht van een heks.

Ik brak de wrat af en binnen drie dagen groeide hij weer aan.

Aan de overzijde van de weg voor ons huis begon de Ceair, een klein bos met rulle grond, een plek vol paddenstoelen, waaruit in het voorjaar, als de sneeuw nog niet gesmolten was, de dunne steeltjes van de paasbloemen ontsproten. Hele boeketten ervan droeg ik naar de begraafplaats, ik legde ze onder de kruizen waaronder mensen rustten die ik nooit had gezien, maar die mama 'tante', 'oom', 'oma' noemde.

In het voorjaar kon je niet normaal over straat lopen, het lopen werd voor mij een complex schaakspel waarbij elke zet fataal kon zijn voor de rode torretjes die elkaar bereden in een wereld waarin je nooit voor een half brood in de rij hoefde te staan, waarin geen lofzangen voor Vaderland, Partij en Geliefde Leider gezongen werden, waarin je niemand hoefde te duwen of te stompen en ook zelf niet gestompt werd voor een paar eieren.

Toen ik ouder werd mocht ik alleen gaan wandelen, zes, zeven kilometer ver van huis. Het was eng en enig tegelijk.

Ik wandelde niet naar de stad, waar je er netjes uit moest zien en grote mensen moest groeten, ik wandelde naar het andere dorp, afgelegen tussen nog hogere heuvels, op de grens tussen twee districten.

Ik liep de langste route, langs de kuddes koeien, langs de aan alle vier de enkels vastgebonden paarden, die licht en vriendelijk hinnikten wanneer je hen passeerde, een nobel soort, dat in enkele opzichten superieur aan ons is.

Ik groette ook de herders, die schuin naar me keken, met verborgen gedachten. Langs de grote boerderij die ooit, een paar honderd jaar geleden, een echt kasteel was geweest. Van het kasteel zag je nu alleen nog de vleugel waar de bedienden hadden gewoond en die nu dienstdeed als opslagplaats voor de vruchten uit de boomgaarden die destijds aan het kasteel hadden toebehoord en later aan de Partij en tegenwoordig aan degene die had begrepen hoe hij ze moest stelen. Degenen die werken als dagloners bij het appels plukken, pikken een zakje appels per dag, de toevallige eigenaar ziet het en zegt er niets van, omdat hijzelf veel meer steelt.

Bij de boerderij blaffen de honden van de eigenaars. Wanneer ik geen bedoeling heb om te stelen, laten ze me met rust. Langs de weg pluk ik bramen, door God gekweekt, ik neem ze zonder bon, zonder in de rij te staan. Het lijkt alsof niemand ze wil hebben. De mensen willen vlees, melk, eieren, medicijnen.

Ik heb geen medicijnen nodig. Mama geeft me lecithine, zodat ik me alles beter kan herinneren.

Van de lecithine word ik dik, op school haal ik goede cijfers, alleen voor literatuur.

Iedereen kijkt naar me hoe ik dikker en dikker word en iedereen is het erover eens dat doorleren mijn kans is.

Ik geloof zozeer in mezelf dat het me niet eens moeilijk valt om alles achter te laten, te doen alsof ik alles vergeet, om mijn spullen te pakken en te vertrekken.

De moeder en de vader wensen me succes. Iedereen zegt hardop dat ik nooit meer terug zal komen. Waarom zegt niemand: Kom maar ooit terug, beloof je me dat?

De perenboom bij de halte zal zijn peren voor zichzelf houden, de aloë vera op de schuur zal uitgroeien tot een groot gezwel, groter dan het communisme, niemand zal in het voorjaar meer de takken afbreken die op het punt staan uit zichzelf te breken door het gewicht van de bloesem.

Wie zal de slakken nog helpen om de weg vol gevaren over te steken, wie zal de mollen nog begraven die naar boven komen naar de zon, wie zal de mussennestjes in de stal nog bewaken zodat opa de eitjes waaruit kuikentjes komen niet meer zal weggooien?

Wie zal er zorgen voor mij?

Ik heb geleerd om correct te interpreteren: *'Nel mezzo del cammin di nostra vita mi retrovai per una selva oscura.'*

*Ik weet dat jij van mijn dood ooit een drama zult maken.*

*Maar ik zie mijn eigen dood als een natuurlijk vervolg op het communisme.*

*Er zijn mensen die geen kans krijgen in het leven.*

*De moeder en de vader, het communisme en de kanker.*

*Dit ben ik, dat was mijn leven.*

*Ik ben de cactus en jij bent de bloem die een oude eenzame man ooit voor mij heeft getekend.*

*Zoek de liefde.*

# Toen Circe Calvijn ontmoette

## EEN KLEINE GESCHIEDENIS VAN MIJN ECHTSCHEIDING

Dertig jaar geleden, ik was toen bijna zeven jaar.

Ik kwam met mijn moeder uit de stad (waar we blijkbaar brood moesten kopen, urenlang in de rij).

Mijn moeder heeft nooit correct Roemeens gesproken, wat ik toen – als kind – onacceptabel vond.

We waren in het kleine straatje dat naar ons huis leidde, ik corrigeerde haar nog een keer.

Ze draaide zich naar mij om en zei: '*Să dea Dumnezeu drăguţu să mori fără să vorbeşti corect, să dea Dumnezeu drăguţu să nu vorbeşti niciodată corect!*'* En ze ging een stap voor me lopen, recht naar huis, boos en onbuigzaam.

Ik liep achter haar, mijn hart stond stil: dus ik zal dood gaan. Nu. Niet nu. Later.

Thuis heb ik eerst mijn buitenkleren uitgedaan, daarna trok

---

* 'God geve dat je zult sterven zonder dat je correct zult spreken, God geve dat je nooit correct zult spreken!'

ik een rood kamerjasje aan en ging ik snel naar het huis van oma, vlak naast ons eigen huis.

Mijn neven speelden met elkaar, ik zat op een stoel en wachtte tot de dood me zou komen halen.

Zeven jaar later hebben mijn ouders me naar een Internaat gestuurd en ze hebben me nooit meer teruggekregen. Na het Internaat ging ik naar Boekarest om verder te studeren, na zeven jaar in Boekarest ontmoette ik mijn man, een Nederlander, en ben ik met hem getrouwd.

Toen onze dochter twee jaar oud was, zijn we naar Nederland gekomen en ik begon Nederlands te leren, een taal die ik nooit helemaal correct zal spreken.

Wachten op de dood is altijd een kwestie van tijd.

Ik was niet ouder dan drie toen mijn vader en ik (misschien na een bezoek) terug naar huis liepen.

Ik herinner me dat het nacht was en mijn vader droeg me in zijn armen.

We daalden een heuvel af.

'Kijk, daar is de maan en wat je op de maan ziet, zijn de bergen van de maan', heeft mijn vader gezegd.

Ik sliep bijna, maar het gevoel van geluk om door de armen van mijn vader vastgehouden te worden was enorm en helemaal wakker.

Toen lag de vrouw die ik geworden ben, voor het eerst in de armen van een man. En die man was niet zomaar een man, maar mijn eigen vader.

*Ik weet niet precies wanneer ik ben gestopt met bidden voor ons drieën: voor jou, papa en mij, als gezin, lieve dochter van mij.*

*Maar dat doe ik niet meer, ik bid nu alleen voor jou, dat je gezond en sterk mag zijn. Dat je goed zult doorstaan wat we doormaken.*

*We bidden samen tot Maria, in de naam van onze lieve Vader, van de Zoon, van de Heilige Geest en van Maria. Amen.*

*We horen je vader niet meer hoesten. En nu, nu hij niet meer bij ons woont, kunnen wij de hele dag tot Maria bidden. Het kan, maar we doen het niet. Misschien bidt Maria nu voor ons.*

'Wat goed dat je dochter studeert!' zeg ik tegen een collega van de bieb, waar ik werk.

Ik bedoel: ze zal in ieder geval zekerheid hebben voor de toekomst!

Mijn collega kijkt raar naar mij: 'In Nederland kan elk meisje studeren!'

Hallo! Wat zeg ik?! In Roemenië kan dat ook, maar wat wil ik eigenlijk zeggen?

Wil ik zeggen: 'In Nederland kan elk meisje onafhankelijk zijn' of 'respect krijgen'?

Na zeven jaar huwelijk ga ik scheiden.

Net als de Kleine Prins laat ik iedereen een hoed zien. Wie ziet in de hoed de slang die een olifant heeft ingeslikt?

Mijn collega kijkt nog steeds raar naar mij.

In Nederland zijn best veel mensen die kinderen adopteren, dus ook veel mensen die geadopteerd zijn. Ik luister naar ieder verhaal, ik huil meteen. Degene die geadopteerd is, schrikt ervan: 'Wees maar rustig, het is niet erg, ik heb hier ontzettend lieve ouders.' Maar mijn tranen blijven vloeien en ik weet niet voor wie: zijn ze niet voor mijzelf?

Waarom heeft niemand mij geadopteerd? Ik kom ervoor in aanmerking.

Ik bedoel: ik ben bijna helemaal grijs, ik verf mijn haar regelmatig, ik heb niet zo veel zelfrespect, ik heb zelf een kind van bijna zeven, ik ga scheiden, ik word over twee weken zesendertig, na de bevalling is een van mijn schaamlippen reusachtig groot geworden. Reden genoeg voor tranen.

Ik ben kapot, wil ik schreeuwen.

Ik ben kapot, wil ik opschrijven.

Een keer, honderd keer.

Ik heb niets bijzonders.

Ik ben niemand, zoals mijn man zei.

Ik kijk in de spiegel.

Ik heb niets bijzonders, zelfs geen grote gok.

*Ik heb jou, Eva-Linda, ik heb jou.*

Wat doen mensen als hun dromen stukgaan?

Morgen ga ik naar het bedrijfsmaatschappelijk werk. Ik heb er een afspraak.

Overmorgen ga ik naar de raadsman.

Het is ironisch dat ik deze woorden vorige week nog niet kende.

Raadsman.

Dat klinkt net als Kerstman. Sint-Nicolaas, die de arme kinderen cadeaus gaf.

Zal hij mijn Sinterklaas zijn?

Raadsman, ik ben bijna zesendertig, maar ik geloof in u.

Na acht jaar in een luxe kooi is het beest in mij ontwaakt.
Het Wilde Beest dat de Vrijheid ruikt.

*La Liberté guidant le peuple, Delacroix.* Een halfnaakte vrouw die over lijken loopt.

Grappig is dat ik nu, sinds mijn man niet meer in huis is, niet meer mijn mán is, me meer vrouw voel dan ooit.

Ik voel me vrouw als ik niet aan een man vastzit.

Alleen. Zo herken ik mezelf. Kijk maar in de spiegel, dat ben jij, degene die altijd een thuis zocht!

Dat ben ik – Mira, klein, lang haar, donkere ogen, bijna gescheiden.

Vrouw van mijn man zijn – dat maakt me bang.

*Jouw moeder zijn, dat maakt me gelukkig.*

Acht jaar lang kon ik mijn man niet gelukkig maken, zoals hij altijd zei. Ik weet gewoon niet hoe je dat doen moet. Ik had wel een idee, maar een stemmetje heeft me altijd gezegd dat Calvijn Circe niet aantrekkelijk zou vinden.

En tot nu toe hebben zij elkaar niet leren kennen en dat zal voor altijd zo blijven.

Mijn ouders, het communisme, mijn man.

Iedereen met zijn goede kanten.

Zonder mijn ouders zou ik niet bestaan, zonder communisme had ik in Roemenië geen kans gehad om verder te studeren, zonder mijn man ... had ik niet zo veel kleren en schoenen.

*En jij, jij moest sowieso in mijn leven komen, Eva-Linda.*

Vandaag ben ik bij het bedrijfsmaatschappelijk werk geweest.

Als het huis waarin we nu wonen van mijn man is (en dat is zo, maar dat wist ik tot nu toe echt niet) heb ik nog de mogelijkheid om op een camping te gaan wonen, samen met mijn dochter.

Natuurlijk is een huis op een camping niet bedoeld om permanent te bewonen, maar meer kan hij (de meneer van het bedrijfsetc. ...) niet doen.

Jawel, een nieuwe afspraak. Dat wel.

En een compliment voor mijn man: 'Je hebt een slimme man. Hij heeft alles, jij hebt niets.'

Ja, dat is een feit. Ik heb bij de notaris papieren getekend en nu begrijp ik wat erin staat: dat niets van mij is.

Dat ik helemaal niets ben als ik de liefde niet verdien?

Nee, dat ik heel idioot ben.

*Maar we blijven samen, Eva-Linda. Je hebt me na schooltijd gevraagd: 'Heb je me gemist, mammie?'*

*Lieve schat, wie was ik voordat jij in mijn leven verscheen?*

Moeten we terug naar Roemenië?

De pijn.

De onzekerheid.

De angst om weer een verkeerde keuze te maken.

Wie ben jij om te beslissen dat het kleine meisje drie keer per week haar vader mag zien?

Ik had in Boekarest bij de radio een collega die ooit getrouwd was geweest met een man die haar negeerde en verder ik-weet-niet-wat tegen haar deed.

Kort na haar echtscheiding vertelde ze aan iedereen die een oor had om te luisteren, dat haar leven beter was toen ze nog bij haar man was, hoewel wij allemaal de donkere kanten van haar huwelijk kenden.

Een geweldige vrouw, maar een mens zonder liefde. Zal ik ook zo'n vrouw zijn?

Ik ben een muis.
Ik ren door het huis.
Ik draai rondjes.
God kijkt naar mij als een wetenschapper naar een muis.
Ik ben een experiment van God.

Ik ben vandaag zesendertig jaar geworden.
Bang. Angstig.
Tegen alle soorten dictaturen.
Bang voor de vrijheid.

Meer dan zeven jaar geleden, op een vrijdag, heb ik ja willen zeggen, maar 'yes' gezegd, '*I marry you*'.

Hij, mijn man, was zo gespannen, dat zijn handen enorm opgezette aders hadden.

In mijn leven zal ik nooit meer 'ja' zeggen.

Of, ja: ik wil met je vrijen.

*Ja, kom naar binnen, lieve meid.*
*Je stoort mama.*
*'Wat ben jij aan het schrijven?'*
*'Dat weet ik nog niet, lieverd.'*

Trouwen.

Mijn oma was getrouwd met mijn opa.

Dood, allebei.

Mijn oma had zeven kinderen, vijf die oud zijn geworden en nog twee, een tweeling, waarvan ze in een bos moest bevallen. (Ze bracht op haar rug gebonden takkenbossen naar huis). Dood, allebei.

Opa sloeg oma regelmatig.

Oma vertelde graag aan iedereen dat opa haar met een van zijn laarzen had geslagen.

'Zo is mijn nier ziek geworden', zuchtte ze dan, maar voor iedereen was dat een bekend verhaal. Opa is nu al meer dan zeven jaar dood, oma ook al twee jaar, maar het verhaal *keeps walking*. Net als Johnny Walker.

Toen mijn man mij voor het eerst sloeg, begreep ik dat wij, mijn oma en ik, een sterkere band zouden krijgen.

Vrouwen in een familie lijken op elkaar.

Dezelfde sterke band heb ik met nog twee tantes in de familie.

Alleen mijn moeder had mazzel met mijn vader.

Mijn moeder was voor mijn vader *The One* en zijn instrument om zich op de wereld te oriënteren. Zonder haar is mijn vader doof, blind en kreupel.

Mijn moeder verdient een pagina in het *Guinness Book*. Ze is echt een fenomeen, Roemenië zelf moet heel trots op haar zijn.

Want mijn moeder kan alles.

Ze is een perfect apparaat, het complete Boek voor dummies.

Iedere vrouw en elk meisje in haar dorp heeft mijn moeder als idool.

Na mijn geboorte zijn de eileiders van mijn moeder op slot gegaan: *kleng!* Net als de poorten van een middeleeuws kasteel. *Want de Raaf zei: 'Nimmermeer!'*

Oma (de moeder van mijn vader, met haar zieke nier), heeft ooit gezegd, kort voordat ze overleed, dat mijn moeder niet eens in staat was om een kind te krijgen.

Het was een schok voor mij om dat te horen (ik lijk precies op mijn moeder, met dezelfde donkere ogen, hetzelfde donkere haar – papa is blond).

Maar voor mijn oma (die zelf zeven kinderen had gekregen) was ik, die na zeven maanden werd geboren en vervolgens drie maanden in een couveuse moest liggen, niet het product van een voldragen zwangerschap. Een poging slechts.

Ik was mislukt en dat heeft, een paar uur na mijn geboorte, de verpleegster ook gezegd: dat de bevalling mislukt was.

Mijn vader stond toen toevallig tussen de andere mensen die op de bus wachtten en natuurlijk ving hij op wat de verpleegster te zeggen had. Die arme vader van mij heeft nooit de kans gehad om in mij te geloven.

*Je bent bijna zeven jaar, lieve schat, en je weet al wat verdriet is.*

*Je zucht als je vader weggaat.*

*Zeven jaar kon ik hem voor jou en voor mezelf vasthouden.*

*Nu wil ik dat niet meer. Zul je me dat ooit kunnen vergeven?*

*Ik betaal met jouw verdriet de prijs voor mijn vrijheid.*

*Het leven is niet makkelijk meer.*

*Jouw mama en papa gaan scheiden. Je zucht. Komt pappie vandaag hier slapen? vraag je mij.*

*Ik weet het niet, lieverd (en ik hoop het niet). Maar je hoort alleen het eerste stuk van de zin, de rest is voor mezelf.*

*Het is even een moeilijke tijd, zeg ik tegen je.*

*Voor ons allemaal, Eva.*

*Als je jezelf ziet als een kleine prinses die een lieve mama en papa heeft en een pony, ja, dan ben je héél gelukkig.*

*Maar als je aan je klasgenootje Milo denkt … zijn moeder is vorige zomer gestorven. Voor hem is dat vast heel moeilijk geweest. En Indira van je kleuterschool, die heeft geen vader. Of wel eigenlijk, hij woont op een eiland, maar ze ziet hem nooit.*

*Alicia woont met haar ouders in een groot huis, maar zijn zij gelukkig?*

*Volgens mij niet, de vader kijkt andere vrouwen diep in hun ogen en de moeder hoort bij het huis, zoals een rasp in de keuken hoort te zijn.*

*Je zucht, in je zevende levensjaar zucht jij, voor de eerste keer in je leven, heel diep.*

*Ik doe wat ik doe, want het kan niet meer anders.*

*Het kon niet meer anders, lieve dochter van mij.*

*Jouw zucht zal altijd een mes in mijn hart blijven.*

*We hebben de kerstboom samen versierd, kerstliedjes geluisterd op YouTube, gedanst op 'Santa baby' en 'Jingle Bell Rock'.*

*Voordat hij wegging, vandaag, heeft jouw vader met je gesleed, met je nieuwe slee. Ja, je hebt vandaag een slee gekregen.*

*Op de dag dat het zuchten begon.*

*Jouw vader is bij mij weg, Eva.*

*Eergisteren heb je gezegd: 'Papa heeft jou alleen gelaten, hè?'*

*Ik negeerde het, maar je wist het toen precies: je vader heeft jóú niet alleen gelaten. Hij zal altijd jouw vader blijven.*

Mijn vader zat altijd onder mijn moeders rok, hij is nooit 'van mij' geweest.

Verschillende mannen waren voor mij, op verschillende momenten, mijn vaders, hoewel sommigen thuis eigen dochters hadden.

Ze waren geen slechte vaders, maar van hen samen kan ik niet een Grote Vader maken.

Mijn vaders waren achtereenvolgens mijn docenten, sommige vrienden, God en Jezus zelf.

Ik noemde God altijd Vader, misschien heeft Hij zelf mijn vader gemaakt. Hij is de Vader van mijn vader, maar geen opa. De Vader.

Abstract net als al mijn vaders.

*Maar jouw vader is anders dan mijn vader.*

*Ook anders dan de vader van Indira, die op een vreemd eiland woont.*

*Hij, jouw vader, heeft vandaag een slee voor jou gekocht (mijn suggestie, maar hij heeft hem gekocht). Jullie hebben samen plezier gehad.*

*Hij zit niet onder mijn rok en hij is helemaal niet abstract, hoewel ik dat soms wel heimelijk wenste.*

*Jij zult nooit de vraag stellen: Wie is mijn vader? Want het antwoord is duidelijk, zoals voor Oedipus in de film van Pasolini – alle bordjes wezen naar Thebe, waarheen hij ook keek, vooruit, rechtsaf, linksaf, overal was Thebe, zijn lot.*

*De man met de kale kop die heel hard voor je moeder kan zijn, is jouw vader. Op zijn kale kop zal altijd staan geschreven: Thebe.*

*Je hebt een moeder – ik – en een vader – hij.*

*We wonen niet meer samen, nou en?*

Ik ben zo bang. Weer paniekaanval.

Lieve Xanax, help mij.

Je wordt niet boos als ik ziek ben.

Je bent ook niet ongeduldig.

Je draait je niet om als ik zeg: help mij!

Je vraagt niet boos: wat moet ik dan doen?

Je doet het gewoon, ik voel je hulp. Je helpt me keer op

keer, niet een dag wel en dan weer drie dagen niet. Je vraagt niet: 'Maar wat voor ziekte is dat eigenlijk? Dat zit alleen tussen je oren!'

Lieve Xanax, ik kan je niets teruggeven.

Loop maar een tijdje mee, net als in het liedje van Cohen, 'I'm Your Man'.

Dat was mijn ode aan jou, lieve Xanax.

Morgen ga ik naar de advocaat.

Scheiden.

Scheiden.

Scheiden.

*Morgen gaat mama naar een advocaat, Eva.*

*Wees niet boos op mama, nu niet, later niet.*

*Ik kan niet meer anders.*

Soms moet je gewoon met de trein verder gaan.

Met de sneltrein gaan.

Met een intercity gaan.

Leven, kun je niet sneller?

Ietsje sneller, duizelingwekkend snel.

Duizelig als een paniekaanval.

*Tare ca piatra,*
*iute ca săgeata,*

*La anul şi la mulţi ani!*[*]

*Mama, vraag jij, o să ne descu-bla-bla-bla?*

*Ja, lieverd, zeg ik iedere keer, we zullen het wel redden.*

*Je kunt het woord in het Roemeens niet goed zeggen, maar je begrijpt het heel goed.*

*Ja, lieverdje, alles zal goed komen.*

*Jij bent ook bang voor de toekomst en dat doet me pijn.*

*Ik houd je in mijn armen, kusjes, kusjes, kleine blonde fee van mij.*

*O să ne descu-bla-bla-bla!*

*Speel maar lekker in de sneeuw (het sneeuwt al bijna drie dagen lang) met de jongens van de buurman.*

*Je hebt gisteren een iglo gemaakt.*

*Dat is alles wat we nodig hebben, een iglo.*

Ik heb het gedaan.

'Ik ben nu uw advocaat', zei de mevrouw.

Ik voelde me als een rat die op een stoel zit.

Gevangen in een hok.

In een onderzoek met het volgende thema: Wat zal de vrijheid eigenlijk betekenen?

Ik – de rat.

Ik – de onderzoeker.

Daarom behandel ik mezelf zo slecht.

Van mijn vader, van mijn moeder, van mijn man heb ik goed geleerd om mezelf slecht te behandelen. Ik was heel leergierig.

---

* Roemeens traditioneel liedje, met Oud en Nieuw: 'Hard als een kei/ sneller dan een pijl/ Beste wensen allemaal!'

Waarom kon ik niet, als in het verhaal, drie keer een koprol maken en een gehoorzame dochter worden en een gehoorzame vrouw die nooit naar een advocaat zou gaan.

'Nu ben ik uw advocaat.'

Ja, en nu ben ik inderdaad degene die geen liefde verdient, net als mijn man zei.

Maar wat is een man?

Iemand die zegt: 'Schat, ik ben gelukkig met jou.'

Dan is mijn man geen man.

Een man moet misschien iets anders betekenen.

Wat is een vrouw?

Ik ben een vrouw en ik weet niet wat of wie ik ben.

Ik ben ... bang.

Ik heb alles verloren:

mijn lieve man die mij niet begrijpen kon

mijn lieve man die mij geslagen heeft

mijn lieve man die veel kleren voor mij heeft gekocht

mijn lieve man die mijn proefschrift voor mij heeft uitgetypt

mijn lieve man die geen commentaar had toen ik een vibrator kocht

mijn lieve man die heel goed heeft begrepen waarom mijn vader me sloeg

mijn lieve man die van zijn moeder nooit 'potverdomme' mocht zeggen – en dus mocht zijn vrouw dat ook niet.

Godverdomme, ik heb mijn lieve man verloren.

Waarom denkt mijn man zo negatief over seks?

Of over mijn seks?

Er wordt gezegd dat je bij een herlezing nooit dezelfde passages overslaat. Maar christenen vormen, waarschijnlijk, geen fanclubs van Roland Barthes.

De mooiste passages van de Bijbel (liefdesscènes, seksscènes) worden nooit gelezen na het eten.

Bedrijven calvinisten seks alleen om kinderen te krijgen?

Hoe kun je iemand overtuigen dat seks meer betekent dan de primitieve daad van de coïtus?

Wat is seks en wat is liefde?

Is seks niet altijd liefde?

Ja, maar geldt dat alleen voor de vrouwen?

Wanneer is de liefde iets vies geworden en waarom kan seks niet samengaan met veel liefde?

Waarom praten we niet open over seks?

Waarom mag je je benen alleen spreiden als het licht uit is, als je niet ongesteld bent, als je condooms in huis hebt, als je al gedineerd hebt, als je geen pijn hebt, als je zeker een orgasme krijgt, als niemand het gekreun hoort of je moeder je toestemming heeft gegeven?

Ik ben volwassen.

Ik heb seks.

Waarom vernieuw je elke vijf jaar je paspoort, maar verander je je sekshouding nooit?

Waarom moeten we over lagere prijzen praten maar niet over betere seks?

Waarom wil niemand iets weten over het seksleven van zijn ouders?

Waarom gruwelt iedereen daarvan?

Ik ben er altijd nieuwsgierig naar geweest en ik heb er altijd vragen over gesteld.

En ja, ik denk dat ik op mijn vader lijk en ik ben heel blij dat hij en mijn moeder een seksleven hebben.

Ben ik vies?

Dan is dat geen geheim: ja, ik ben aardig, onstabiel, ik heb veel kleren, mijn favoriete schrijver is Gombrowicz en ik ben vies.

Waarom is de wereld onderverdeeld in families, gezinnetjes en 'de anderen'?

Als je naar de mensen in de Bijenkorf kijkt, is het heel duidelijk wie met wie naar bed gaat, wie de vader van wie is – maar wie zijn de anderen?

Nu ben ik een deel van die 'anderen', nu ben ik weer een deel van 'de anderen': geen moeder, geen vader, geen zus, broer, neef.

Geen halfbroer, geen halfman.

*Ik heb jou, lieve dochter.*

*Ik ben depri, vreemd, 'je lijkt niet op de andere moeders, mama', maar ik ben jouw moeder.*

*We zingen samen Roemeense liedjes, we dansen samen, we huilen samen, we maken ruzie; ik ben jouw moeder en ik kan aan je stralende huid zien hoeveel kusjes ik je heb gegeven van je geboorte tot nu toe.*

Lieve Andrei,

Ons verhaal is zeven jaar geleden begonnen. Net als alle evenementen in mijn leven op een donderdagavond. Je had toen je grijze jas aan, het was tien minuten voor zes, in de hal van de letterenfaculteit.

We hebben samen zo veel mooie momenten gehad, maar niets mooier dan de geboorte van onze Eva.

Op jou heb ik mijn hele leven gewacht, net als elk meisje dat in sprookjes gelooft.

Nu ben ik weer dat meisje geworden, maar ons sprookje is afgelopen.

Zo moest het zijn.

Ik herken mezelf nu, bang en hysterisch, met een enorme liefdeshonger, mijn droevige figuur.

We hebben al die tijd samen een warme maaltijd gehad, comfort en liefde.

Nu ga ik overgeven.

Ongeveer drie jaar geleden ging ik naar bed, als Gregor Samsa, maar om drie uur 's nachts werd ik wakker als puber: het eerste orgasme van mijn leven, verrukkelijk als zijde, heeft me gewekt.

Ik bleef roerloos liggen, een minuut of langer, daarna bewoog ik en de zijden zweep sloeg wederom.

Weer een minuut dood en weer een kleine beweging, ik bewoog als een kat, een zenuw in mijn rug trilde en weer werd ik op een zijden kruis gekruisigd.

Als ik als kind met een pot jam bezig was (frambozen uit het bos, hmmm!) had ik geen rust tot de pot leeg was.

Dit was weer zo'n pot.

Ik stond op, liep naar een andere kamer, naar een ander bed, waar niemand anders dan ikzelf de dans van mijn zenuwen kon voelen.

Na een uur jam en alleen maar jam had ik geen controle meer over welke zenuw dan ook en begon ik bijna spasmen te hebben.

Maar voor dit soort spasmen bel je nooit 112 en maak je ook je man niet wakker.

Die ochtend voelde ik me de exorcist en de bezetene in één lichaam en ik moest de hulp van een protestant vragen: hij belde de huisarts, een boeddhist.

De rit met de auto naar de huisarts (500 m) was een foltering. Ik kon alleen maar lachen, hysterisch.

En de huisarts toonde zich zo behulpzaam: hij wilde me persoonlijk onderzoeken, want volgens hem was de enige specialist in een dergelijk seksueel perpetuum mobile in Groningen te vinden, ietsje verder dan een halve kilometer.

Maar het boeddhisme heeft ook zijn beperkingen en ik wilde het wonder met niemand delen.

De volgende nacht had ik (voor een beginner) de spieren van mijn bekken heel goed onder controle, en dus kon ik het zijden touw zelf in mijn handen houden en niet andersom.

Na twee weken constant oefenen is het speelgoed kapotgegaan.

Maar mijn buik werd strakker en mijn kennis uitgebreid.

Ik vraag me nog steeds af, als Sarazine van Balzac: Maar wat is eigenlijk een vrouw?

Kerst.

Ik herinner me geen Kerstdag, geen enkele in mijn hele leven.

Ik besta niet, de sigaret tussen mijn vingers wel.

Ik wil weer sterk zijn, mezelf, een beetje gek, vol geheimen, wandelend op de heuvel uit mijn kindertijd, vol liefde, met Gombro, Nabo, Borges, Kristeva, Yourcenar, Berberova in bed, het bed vol boeken, een kopje thee erbij.

Na vijftig pagina's weer een sigaretje.

*Wat hebben wij meer nodig,* scumpă fetiță*?

---

* Dierbaar meisje

*Wat zul jij nodig hebben?*
*Ik zal maandag iets geks aantrekken, voor de fun.*

Op Eerste Kerstdag heb ik mijn toekomstige ex uitgenodigd voor het diner.

Mijn zieke liefde.

Wie heeft de feestdagen uitgevonden?

Wat moeten een moeder en haar dochter met de feestdagen doen?

Weet iemand hoeveel mensen zelfmoord plegen met de feestdagen?

Is het leven al niet hard genoeg, waarom moeten wij regelmatig deze rare toets doen: heb jij een adres voor de feestdagen, anders ...

Een gynaecologisch onderzoek met een camera in je binnenste is niets in vergelijking met Kerst.

Wat moet ik verder doen?

Waarom heeft niemand een gids geschreven *Hoe ga je om met de feestdagen*?

*Wat zullen we doen, kleine meid?*
*Hoe kan ik jou gelukkig maken?*

Mijn oma heeft gewerkt vanaf haar twaalfde.

Ze was dienstmeisje bij een beroemde Roemeense filosoof.

Ze mocht niet stoffen van hem, maar wel thee brengen.

Ze heeft geld gespaard en toen ze eenentwintig was, trouwde ze met mijn opa: een heel knappe vent, een beetje gestoord, een lafaard, net als alle mannen in mijn familie.

(Zijn misschien alle mannen zo?)

Oma was wel verliefd op hem, maar hij op haar – dat weet ik niet, dat wist ze zelf niet.

Toen het geld van mijn oma op was, begon de oorlog.

Zij bleef thuis met twee kinderen op hem wachten.

Twee jaar later kwam hij terug, in het geheim; een paar maanden lang woonde hij op de zolder van het huis, zonder dat mijn oma dat wist.

Iedereen deed alsof hij nog aan het front was en iedereen, schoonmoeder, schoonvader en opa verwachtten dat oma op een gegeven moment zou weggaan, met de kinderen.

Ze ging niet weg en uiteindelijk vond opa het leven op de zolder te saai en kwam hij 'officieel' terug van het front.

Oma deed alsof er niets was gebeurd, ze kreeg daarna nog vijf kinderen, mijn vader was de laatste.

Vijftig jaar na de oorlog leefde ze nog in hetzelfde huisje, dat twee kamers telde en een kleine hal, die tegelijk diende als keuken en entree.

In hun slaapkamer heb ik vaak als kind met mijn neefjes gespeeld, of alleen; daar ging ik naartoe toen mijn moeder op mijn zevende jaar zei dat ik dood zou gaan zonder de taal goed te kennen.

Vlak bij de deur, aan de rechterkant, boven de tafel, hing altijd een icoon: God geschilderd als een oude man met een witte baard, gezeten op de wolken en neerziend op de mens.

De icoon was niet groter dan een gewone bijbel, ik wist toen niets over de Bijbel, niemand had toen een bijbel in huis, maar op mij maakte de icoon een grotere indruk dan de Tien Geboden, later, toen ik zelf de Bijbel las.

Toen oma overleed, zat ik in de auto, op de autosnelweg, ergens in Duitsland. Dat heb ik later begrepen, want mijn moeder en vader hebben lange tijd gelogen over het moment van haar dood.

Later vroeg ik mijn moeder of ik uit oma's huis de icoon mocht hebben, maar hij was er niet meer. Eigenlijk was ik blij dat deze naïeve, verbleekte icoon ook voor iemand anders (een van mijn neefjes? wie?) iets betekende ... In een lade vond mijn moeder nog een paar oude foto's. Oma, op haar negentiende, voor het casino van Sinaia, zittend op een kanon.

En een fluitketel, ik gebruik hem nu als pot voor een cactus. Als we gaan verhuizen nemen we hem mee.

Mijn oma was vijfenzeventig toen ze haar eerste broek kreeg. Van mijn opa, die de broek gevonden had in een ravijn, tussen de heuvels.

Een roze ribfluwelen broek, met een kapotte rits.

Toen oma dertien jaar later viel en haar heup brak, droeg ze die roze broek.

Dus haar eerste broek was ook haar laatste outfit voor haar dood, die volgde op haar val.

Maar ze was echt cool met haar roze broek, met haar O-benen, met haar kapotte rits, de dood heeft het zeker ook cool gevonden.

Vijf jaar na haar bruiloft was haar geld op en oma moet snel hebben begrepen dat de liefde van haar schoonouders ook op was. Ze leefde met hen in hetzelfde huis, haar man was altijd weg (en als hij thuis was, aan welke kant stond hij dan eigenlijk?) en ze beschermde zich als Sherazade, met een verhaal dat ze aan haar schoonvader vertelde.

Ze kookte elke dag voor negen personen, op de houtkachel.

Eerst moest ze hout hakken, daarna aardappels uit de grond halen. Toen ze zwanger was van mijn vader, kreeg ze het eten een keer niet om twaalf uur klaar. Op begrip hoefde ze niet te rekenen. Haar schoonvader nam oma mee naar het houtblok waar gewoonlijk het haardhout klein werd gemaakt en dwong haar om haar vingers te spreiden op het blok.

En, in tegenstelling tot Sherazade, die tijd had voor *captatio benevolentiae*, begon mijn zwangere oma direct met de clímax: 'Ik weet dat je de tapijtverkoper hebt vermoord.'

Mijn overgrootvader keek haar aan.

En toen sloeg omaatje voor de tweede keer toe: 'Hij is begraven in de bedding van de rivier, onder de buis.'

Die dag werd de lunch later gegeten dan ooit tevoren en aan tafel zaten slechts zeven mensen. Degenen die ontbraken waren oma, die op die middag is bevallen van mijn vader, en mijn overgrootvader, die te paard de vroedvrouw was gaan halen.

Als dank voor het feit dat hij de vroedvrouw op tijd had gebracht, draagt mijn vader de naam van overgrootvader.

Hieruit trek ik de conclusie dat niemand de waarde van een goed en op het juiste moment verteld verhaal moet onderschatten.

Maar het verhaal gaat verder en alle niet-geliefde schoondochters geloven erin. Ik ook.

De eerste keer dat ik in mijn eentje van huis ben gegaan was ik één jaar oud.

Mijn moeder vertelde dat ze me urenlang hebben gezocht. Ik heb ze gehoord toen ze mij riepen, concludeerde mijn moeder, maar ik wilde niet terug. Ik wilde hen bang maken. Ik had me verstopt onder een stapel brandhout, achter het huis.

Toen is mijn lot bezegeld, concludeerde ik. Ik wist altijd dat ik weg moest gaan. Ik heb er jaren voor gebeden. Met het gevoel dat ik iets wilde wat mijn ouders niet tevreden zou stemmen.

Een paar jaar later hebben ze mij naar een Internaat gestuurd.

Je kunt zeggen dat daarmee mijn gebed verhoord was. Toch had ik het anders gewild.

Nu zit ik hier, tijdelijk, in dit huis.

Ik hoop dat ik een huis zal krijgen. Voor mij en voor mijn kind.

Als ik nu kon bidden, zou het voor jou zijn.

*Dat je gezond en vrolijk zult zijn, dat je niet je hele leven boos op mij zult zijn, dat je mijn keuze zult begrijpen.*

*Dat je je vrijheid altijd zult beschermen, dat je jezelf zult begrijpen, dat je af en toe aan de mogelijkheid denkt dat God echt zou kunnen bestaan.*

*We bidden nu samen, iedere avond, in de naam van de Here God, van Jezus, van de Heilige Geest en in de naam van Maria. Amen.*

*Waarom bidden wij niet in de naam van Maria? vroeg je me vorig jaar.*

*Je vader was toen in zijn kantoor. Vlak bij jouw kamer. Hij kon alles horen en hij hoestte toen betekenisvol.*

*Waarom? Ik durfde geen antwoord te geven, ik kon de ademhaling van de protestant in zijn kamer horen. Zijn hoest ook.*

*Waarom niet?*

*Op die avond werkte de oorlog tussen Spanjaarden en Nederlanders bij ons, thuis, duidelijk door.*

*We bidden tot Maria, omdat ze een vrouw is, net als wij. Misschien kan zij ons makkelijker begrijpen. En als God bezig is met de problemen in Afrika of met Hij mag weten welke andere vreselijke feiten en straffen, hebben wij, die geen ziekte of honger hebben, toch iemand om ons te beschermen. God kan niet overal de pijn verlichten.*

*We bidden tot Maria, omdat ze zo in haar onschuld heeft geaccepteerd dat het onmogelijke mogelijk is als God dat wil.*

*Je kunt ook, lieve schat, tot Franciscus van Assisi bidden, die zo lief voor alle dieren was. Voor iedere vogel, voor iedere mier, voor iedere aap. Of tot moeder Theresa, die aan de kant van de arme kinderen stond.*

*God staat niet alleen in de Bijbel, lieve schat, en zeker niet in sommige bijbels die ik ooit zag.*

*En Hij van de Bijbel moet wel veranderen, in zo veel tijd, van ik-weet-niet-precies-wanneer tot nu toe.*

*Hij moet overal te vinden zijn, ook bij mensen die Hem niet weten te noemen (of bij degenen die zijn naam ijdel gebruiken).*

*Want de wereld is niet verdeeld in degenen die twee keer per dag in de Bijbel lezen en de anderen.*

*Wie de liefde in zichzelf en in anderen heeft gevonden, geeft haar door, vaak zonder het te weten, want wat kunnen wij van de waarheid weten?*

*We kunnen alleen de boodschap doorgeven, in de naam van de Liefde,*

*Amen.*

*Als Nederland onder water komt te staan hebben wij geen helikopter om naar de bergen te vliegen.*

*Als de dijken doorbreken kunnen wij niets doen, we hebben geen tijd en geen kans om naar Schiphol te vliegen en daarna – waarheen?*

*Als er een pandemie uitbreekt genieten wij tweeën – jij en ik – geen voorrang om de beste behandeling of antibiotica te krijgen.*

*We moeten wachten en hopen.*

*We hebben niemand en niets, we zijn vogels en mieren.*

*Maar als we liefde hebben, voor elkaar en voor anderen, hoeven wij niet bang te zijn voor een overstroming of pandemie.*

*God, Jezus, Maria, Franciscus van Assisi of een buurman zal altijd in de buurt zijn.*

De waskraan is kapotgegaan, ik probeerde hem helemaal uit te doen, het lukte me niet.

Bijna de Grote Overstroming.

Ik heb mijn man gebeld. Eerst nam hij de telefoon niet op. Na tien minuten pas, eindelijk, maar hij was niet in de buurt.

Na een half uur kwam hij langs.

Is dat de oplossing tegen de overstroming: een man? Maakt het zo veel uit welke man?

Waarom leren wij als meisje geen 'mannelijke' dingen?

Waarom heb ik geen verstand van dingen repareren?

Natuurlijk kun je daar iemand voor betalen, maar op Tweede Kerstdag is het lastig om een loodgieter te vinden. En de winkels zijn dicht.

Ik heb mijn man daarna warm eten aangeboden.

Een eerlijke ruil.

En in de toekomst?

Zal mijn innerlijke kracht een oplossing voor dit soort dingen vinden?

Ik ben zo bang dat ik meteen mijn man zal bellen om mij in zijn armen te houden!

Maar dat kan niet meer.

Dezelfde handen die kunnen beschermen, kunnen slaan.

'Ik help je niet meer.

Ga maar naar een ander!

In Delft is een meer, spring daar maar in!'

Waarom ben ik dezelfde van tien jaar terug?
Waarom ben ik intussen niet volwassen geworden?
Waarom heeft iedereen een normale temperatuur en heb ik koorts?
Waarom moet ik altijd iets anders van het leven begrijpen?
Waarom weet ik niet wat je met het leven moet doen?
Ik kon geen dochter en echtgenote zijn.
Maar moeder-zijn was vanzelfsprekend en voor altijd en daarvoor hoefde ik geen boeken te lezen.

*Ik heb een voorgevoel gehad dat er een aardbeving zou komen en dat de kast naast jouw babybedje een gevaar zou opleveren.*
*Dat was echt zo, om twaalf uur in de nacht was er een aardbeving, maar we hadden de kast op tijd verplaatst.*
*Ik wist om vier uur in de morgen, toen je een paar maanden oud was, dat ik je naar mijn bed moest halen en toen ik jou oppakte had je een flinke bloedneus.*
*Je had in het bloed kunnen verdrinken.*
*Maar ik moet nog leren 'nee' tegen je te zeggen.*

*Ik heb je vader meer dan zeven jaar vastgehouden. De laatste tijd alleen voor jouw welzijn.*
*Toen hij weg wilde, zei ik: 'Laat haar niet alleen! Ze heeft maar één vader. Ze moet niet, zoals ik, haar hele leven op zoek zijn naar een vader!'*
*Maar liefje, hij blijft jouw vader, hoewel wij niet met z'n allen aan dezelfde tafel eten.*
*En jij weet hem al beter dan ik vast te houden voor jezelf.*

Ik wist niet wat ik moest doen om mijn vader vast te houden.
Mama hield hem alleen voor haar.

Papa geeft mij een klap en nog een.

En hij probeert mijn oren eraf te trekken. Het lukt hem niet. Dan pakt hij mij op en gooit me op het bed. Bij de voeten. Hij pakt me op, zoals een ervaren kok een levende vis pakt om hem dood en schoon te maken.

Mijn neus bloedt.

Ik schreeuw met een zeker succes.

Mijn oma wil de deur openmaken, maar papa heeft hem van tevoren op slot gedaan.

Voeten martelen kan ook een kunst zijn.

Een happening.

Papa is een kunstenaar van nature.

Papa trekt me de gang in. Overal bloed.

'Maak haar niet dood!' schreeuwt oma buiten de deur.

'Rot op!' schreeuwt papa ook.

Ik zie oma. Ze heeft een grote icoon in haar handen.

'Maak haar niet dood!'

Ik heb tijd om mezelf af te vragen wat ze met de icoon zal doen, want papa verdeelt zijn aandacht tussen oma en mij.

Papa opent de deur en trekt me naar buiten.

Oma schreeuwt. Ik lijk op een halfdode vis, waarom anders zou papa mij in de grote ton vol regenwater stoppen?

Hij duwt mijn hoofd het water in. Diep in het water en terug. En nog een keer.

Het water wordt rood.

Papa ziet de icoon die oma heeft meegebracht.

Hij vindt oma belachelijk.

En papa heeft gelijk, oma is inderdaad belachelijk, zoals ze daar staat, als een orthodoxe priester met de icoon in haar handen.

Iedere dag minder pijn.

Iedere dag minder onzekerheid. (Is dat waar?)

Je kunt zeggen dat alles beter gaat, hoewel de feiten dezelfde zijn: dit jaar zal ik een gescheiden vrouw worden.

Doe niet zo stom, zei mijn man gisteravond, we kunnen toch samen blijven?

Ik herinner me één Oud en Nieuw uit mijn kindertijd.

Mijn peetoom en peettante waren bij ons om met mijn ouders Oud en Nieuw te vieren.

Mijn peetoom mocht niet drinken op advies van de dokter, maar hij was ook zijn eigen dokter en volgens zijn eigen advies werd het leven pas mooi na de eerste vijf glazen wijn. Volgens mij had hij helemaal gelijk, want pas na een paar glazen had hij de moed om zijn vrouw tegen te spreken. En na een dergelijke ruzie met zijn vrouw, die een half uurtje duurde, ging hij naar buiten om te roken. Ik liep mee, we waren in de koude gang van mijn ouderlijk huis en toen zei hij tegen mij, als een logisch gevolg van de ruzie met zijn vrouw: 'Weet jij dat de beste schrijvers ter wereld arm waren en niet uit goede kringen kwamen?'

Ik wist alleen dat dit een introductie was om over zijn eigen literaire productie te beginnen, want mijn peetoom schreef gedichten sinds hij van het dak van een flat was gevallen en weken in coma had gelegen. Ik wist ook dat zijn eerste gedicht tijdens zijn coma geschreven was en als je naar dat gedicht luisterde (want het was nooit op papier geschreven, het was net als de *Ilias*, een oratie) begreep je dat.

Mijn peetoom wist ook dat schrijven in de eerste plaats een therapie is en pas daarna een *American Dream*.

En hoewel er in onze familie niemand is doodgegaan, is er iets gestorven.

Over het leven en hoe je dat doet weet ik niet ... zo veel, maar ik weet precies wat voor hoed Gombrowicz droeg of op welk moment van de dag Dante Beatrice voor het eerst zag.

En wat voor liedje Margareta zong toen de duivel vroeg waar Faust was heen gegaan.

Waarom Maria echt van Borges hield.

Grote paniek, geen sigaret. Ik rook peukjes. Dit was de laatste.

*Vandaag heb jij voor mij op je viool gespeeld, liefje. Een klein concert met onder meer 'Het lelijke jonge eendje' en 'A, a, Victoria'. Heel enthousiast publiek, bis, groot applaus.*

*Je maakt me gelukkig, klein aapje van mij! Zo is jouw leven begonnen: met je moeder gelukkig maken!*

*(Vanaf september zal ik ook vioolles krijgen, om mee te kunnen spelen en te oefenen, wat jij helemaal niet leuk vindt.)*

Over een kwartier moet ik naar het centraal station. Kilometers lang lopen. Weer naar het Internaat. Mijn moeder is boos op mij, alweer. Maar ik vertrek voor meerdere weken, dus: 'Mama, kunnen wij niet onze ruzie vergeten?' Dat wil mama niet.

'Ik smeek je, mama, neem me in je armen, ik ga weer weg.'

'Ga maar!' zegt mijn moeder, ze draait zich om en gaat naar binnen. Ik haat mezelf, omdat ik kan denken: Weer weken van huis zonder wat te eten van mijn moeder! Wat zullen zij de komende weken op tafel hebben?

Ik heb niemand ooit gelukkig gemaakt.

Als je geen man, partner of vriend hebt, dan hoef je niemand gelukkig te maken.

Simpel. Jezelf ook niet, maar dat is een compromis dat je jaren geleden met jezelf hebt gesloten.

Waarom verwachten wij dat iemand anders ons gelukkig zal maken?

En waarom ben je niet gelukkig als je iedere dag warm eten hebt, als je goed kunt slapen, als je de kleuren kunt onderscheiden?

Of ja, deze pannenkoek heeft zo'n lekkere smaak, hij had ook heel vies kunnen zijn, maar hij is lekker! Punt. Blij. Vrolijk. Pannenkoekig!

Mijn man heeft jarenlang, bijna elke avond, mijn voeten gemasseerd. Hij was zo voorzichtig met mijn voeten, hij kende mijn voeten beter dan ik. Het laatste jaar masseerde hij met een hand mijn voeten en met de andere aaide hij de kat.

En wat mij in al die jaren niet lukte – hem gelukkig maken – heeft onze kat in een paar maanden gedaan.

Je moet nooit de innerlijke kracht van een poes onderschatten!

De kat begreep mijn man.

De kat vraagt nooit om seks en, in ieder geval, geen betere seks.

De kat heeft geen onbegrijpelijk libido, hij heeft helemaal geen libido, hij is gecastreerd.

De kat wordt nooit bang als hij wakker wordt. Hij is altijd wakker.

De kat had nooit een paniekaanval, geen rare ziektes, geen depressies, geen openbaringen, menstruatiepijn, keizersnee, etc.

De kat heeft nooit ruzie met zijn ouders of schoonmoeder.

De kat wil geen oppas voor je kind, geen hulp in huis, geen mannen als vrienden.

De kat huilt niet, smeekt niet, is nooit wanhopig.

De kat maakt mijn man gelukkig.

Kijk, wat de kat heeft meegebracht!

Mijn man die van mij houdt, haat me.

Het is begrijpelijk en ik weet het sinds een paar jaar.

Alle gevoelens die hij voor mij heeft maken me bang.

Hij woont nu tijdelijk ergens anders (tot we een huis vinden), ik houd de deur op slot, iedere avond plaats ik beide fietsen voor de deur. Als iemand binnenkomt, vallen eerst de fietsen en hoor ik het lawaai. En?

En … dat is een ander verhaal.

Als hij, net als die seriemoordenaar uit de film van gisteravond komt zeggen: 'Hallo, Susan', schrik ik me dood.

Mijn man is geen seriemoordenaar, maar hij heeft verschillende ikken van mij, op verschillende momenten, doodgemaakt.

En wie ben ik nu?

Kapot, paniekaanvallen, *de vrouw die mannen haat.*

Jarenlang wist ik niet dat ik geen orgasme had. Mijn fout. Ik wist alleen dat ik meer wilde, meer en meer, maar ik kreeg niets.

Het orgasme komt.

Van een van de putten rond mijn vaders huis. Iedere keer dat we bij mijn ouders op bezoek gingen, zocht ik een van die putten op. Ze hebben mij altijd al gefascineerd: zo primitief, een diep gat, vol water, in de grond, geen deksel of bord op het misleidende oppervlak, een poort naar de andere wereld.

Iedere keer dat ik van mijn Internaat *naar huis* ging, keek ik in de donkere spiegel van het water. De laatste keer toen ik op bezoek was, merkte ik geëmotioneerd dat ze nog steeds dezelfde zijn: gevaarlijke, donkere putten.

Ik was, denk ik, twaalf jaar oud toen mijn vader, midden in de nacht, stomdronken water uit de put wilde gaan halen. Oma liep mee en beweende hem – ze zag hem al verdrinken.

Zo donker was het dat we niets konden zien, zelfs de korte weg naar de put was een zware beproeving. Oma zong door, ik liep achter hen aan.

Papa was de emmer kwijt, met een loopkruk probeerde hij de emmer terug te vinden, het lukte hem niet.

De stem van oma ging omhoog: papa viel. Of nee, een van zijn laarzen viel in de put. Hoe kon oma wel in het donker zien? In ruil voor de laars kreeg papa de emmer terug. Pas thuis zagen we dat de emmer vol waterslangen zat.

Een paar dagen daarna, bij dezelfde put, stelde mijn tante, de moeder van mijn stralende-huid-neef me een vraag waarop ik (en dat gebeurde bijna nooit) geen antwoord had: 'Is de vrouw in het rood bij jou langsgekomen?'

Om niet met open mond te blijven staan, heb ik haar een beetje retorisch gecorrigeerd: 'Bij mijn moeder, bedoelt u?'

Want het was logisch dat niemand bij mij, in ieder geval geen mevrouw, op bezoek kwam. Mijn tante lachte me uit, ze wist genoeg.

Ze overtuigde me dat er bij meisjes een vrouw in het rood langskomt, alleen bij meisjes, en ja, bij de jongens komt er ook een vrouw, maar dan in het wit gekleed. Vreemd. Ik dacht dat de negatieve magie van de put maakte dat mijn tante rare verhalen begon te vertellen.

Ik heb vandaag geen Xanax geslikt, maar ik moet er beslist een slikken.

De Xanax gaat de schaduw helpen die ik ben geworden.

De schaduw gaat voor mijn dochter koken, gaat haar naar bed brengen, gaat voor haar en voor mijzelf een verhaaltje lezen, gaat voor haar en voor mij een liedje zingen.

Die Xanax gaat in de spiegel kijken en zal zeggen: 'Rustig maar. Je redt het wel.'

Lieve Xanax, wil je niet mijn man worden?

Ik ben geen goede vrouw, maar als schaduwvrouw zal ik mijn best doen.

Ik zal goed voor je zorgen, ik ga voor je koken, je haar knippen, ik zal nooit meer 'godverdomme' zeggen, alleen nog 'god Xanax' zeggen, ik zal nooit meer seksuele zinspelingen maken.

Als je zegt 'geen seks' zal ik me niet nog een keer aanbieden.

Geen seks, Commandant!

Ik zal nooit meer batterijen kopen, Commandant!

Ik zal voor jou mijn geslacht veranderen, Commandant!

No seks, no geslacht!

Ik zal in mijn kokende vagina een dop stoppen, Commandant!

Ik zal jouw aseksuele hoer zijn, Commandant!

Jouw slavin.

Jouw dienstmeisje.

Jouw hooggestudeerde engel.

Jouw iets.

Ik heb scheidingsvrees.

Als ik terugkijk word ik duizelig.

Daarom moet ik alleen naar voren kijken.

Wat zal de toekomst mij brengen?

Mannen?
Overal te vinden, maar niet voor mij.
De rust van een huwelijk zal ik nooit hebben.
Ik ben meer dan zeven jaar getrouwd, maar ik heb geen diploma verdiend.
Hebben getrouwde mensen nog seks?
Goede seks of verplichte seks? Hoe vaak?
Eén keer per maand of één keer per jaar?
Zijn getrouwde mensen nog geïnteresseerd in hun partner? En ik bedoel niet: 'Jezus, wat voor cadeau moet ik dit jaar voor hem kopen?'
Ik bedoel: vindt hij het lekker als ik dat met beide handen en tanden doe?
Hoeveel mannen weten precies op welk nummer de clitoris van hun vrouw woont?
En hoeveel mannen komen daar op bezoek, hoeveel sturen kaartjes bij gelegenheden en hoeveel accepteren dat de meeste vrouwen alleen een clitoraal orgasme kunnen hebben?

Morgen zal een betere dag zijn.
Hoezo?
Zal ik minder bang zijn?
Zal ik minder paniek voelen?
minder roken?
minder overgeven?
Zal ík minder zijn?
Morgen is er weer een dag.

*Ik hoor je, liefje, je bent boven aan het spelen, je zingt een liedje.*
*Ja, morgen zal een betere dag zijn.*
*Je bent mijn gezinnetje, lieve dochter van mij.*
*Ik kan niet zeggen dat wij een gezinnetje zijn, want je hebt je*

*vader ook, maar dat jij mijn gezin bent, dat is wel waar.*

*We hebben vandaag samen over het heelal gelezen. Over de oerknal.*

*Wie heeft de oerknal ... dat weet niemand nog. Misschien God zelf niet eens, zei ik tegen jou.*

*'Jij gelooft echt in God, hè?' glimlachte je.*

*'Jij niet?' heb ik jou retorisch gevraagd.*

*'En wat gebeurt er als we uit het heelal vallen?' heb jij mij gevraagd.*

*We vallen, we vallen. En met je armen heb jij precies de kringen van Dante geïllustreerd. Vanaf de Rand tot Beëlzebub.*

*'Misschien vallen wij precies in de armen van God', kwam ik met een idee.*

*Misschien.*

*Ja, liefje, als we vallen, dan vallen wij precies in de armen van God.*

Wat is de essentie van een huwelijk?

Is het huwelijk een soort dienstplicht?

Vroeger was iedereen ertoe verplicht, nu niet meer, maar er zijn altijd fanatiekelingen in de wereld.

Praten we hier niet over loyaliteit?

*To be loyal.* Is dat alles?

Want na een paar jaar huwelijk heb jij die rare koorts niet meer, hoewel sommigen zeggen dat dat in iets anders veranderd is. Ik zou niet weten in wat ...

Meer loyaliteit, de loyaliteit van het vlees of de Grote Loyaliteit.

Er zijn ook mensen die weggelopen zijn uit het Vreemdelingenlegioen.

Stel je maar voor dat loyaliteit wederzijds is, dat is toch een van de tien geboden?

Op welk nummer staat de liefde?
Is seks hier ook vanzelfsprekend?
En waarom is het huwelijk zo heilig?
Is God zelf ooit getrouwd geweest?
Als we gemaakt zijn naar Zijn evenbeeld geldt dat dan ook omgekeerd?
Hij was nooit getrouwd. Lijken we eigenlijk niet meer op de Griekse goden en godinnen?
Zeus had zonen en dochters op heel de aarde, met verschillende vrouwen (en af en toe een zwaan).
Het verschil is dat Heracles of Athena geen Jezus waren.

De pijn is er nog, als een bloeding.
Waarom heeft niemand van ons begrepen dat de liefde kwetsbaar is als een maagdenvlies?
Waarom heeft niemand ons dat verteld voordat alles kapotging?
We hebben geleefd in een cocon, de cocon van onze liefde, een liefdescocon, tot de liefdescocon in iets anders veranderde zonder dat we dat doorhadden.
Van de liefdescocon naar de huwelijkskist.

*Ik heb nooit gezegd dat je vader schuldig is.*
*Hij had me nooit moeten slaan, maar dat is een ander verhaal. En eigenlijk was het ook goed, want anders was ik bij hem gebleven in voor- en tegenspoed. En dat terwijl de voorspoed steeds meer in tegenspoed veranderde.*
*Ik wil je alleen vertellen hoe ik ben en ik wil dat je zult begrijpen dat er niemand schuldig is.*
*En als we toch een schuldige moeten vinden, dan ben ik dat zelf. Het heeft zo moeten zijn, kleine lieve meid van mij. Je moet het leven begrijpen en je zult dat zeker doen, eerder dan ik het*

*deed en jouw leven zal altijd, anders dan het mijne, jouw eigen leven zijn, met mij achter jou.*

*Achter mij stond niemand, nooit.*

Jawel, vreemde mannen, in het donker, bij het centraal station, toen mijn vader me, midden in de nacht, terug naar het Internaat stuurde.

Op vreemde mannen kun je niet rekenen.

Eerst veranderde ons seksleven.

Eén keer per twee weken, één keer per maand.

Als je betere resultaten wilt, blijf je oefenen.

Hoe kun je excelleren als je maar één keer per vijf weken oefent?

Ik wist dat dat een heel slecht teken was, volgens mijn man ben ik geobsedeerd.

Door seks.

Ik begrijp mijn seksualiteit als honger.

Een simpel schema:

dorst – drinken
honger – eten
koud – kleren aan
warm – kleren uit
seks – kleren uit

Waarom reageerde mijn man niet op deze duidelijke signalen?

Had ik het te vaak warm of had ik te vaak honger?

'Als je seks wilt, ga je maar naar een ander.'

Dan pas voel je je een hoer.

Loyaliteit als hoererij.

Ik heb op hem gewacht, bloot, achter de deur. Uren. Je weet nooit hoe laat een freelancer thuiskomt. Ik had het koud, daar, achter de deur.

Mijn vagina had het koud. Ze kon geen kleren aan.

Zo'n kou, zo'n honger.

En dat gebeurt regelmatig, twee dagen voordat ik ongesteld ben.

Xanax is niet voor alle noodsituaties.

In de seks zocht ik niet het orgasme (utopisch als het geluk), maar mijn huid wilde zijn huid ontmoeten, mijn speeksel had koorts, mijn vagina ging van eenzaamheid naar pure depressie.

Waarom vinden mannen borsten aantrekkelijker dan vagina's?

Borsten doen pijn en ze hebben altijd een voorspel nodig.

Vagina's niet.

Vagina's hebben het altijd koud, warm, ze hebben altijd honger.

Waarom beklimmen de meeste mannen bergen?

Hoeveel van hen durven ook grotten binnen te gaan?

(Hoeveel mannen zouden mijn vergelijking belachelijk vinden?)

*Zullen we een huisje krijgen, liefje?*

*Wanneer?*

*Zullen we verhuizen?*

*Zullen we vrienden hebben?*

*Zullen we visite krijgen?*

*Wanneer zullen wij het briefje van de gemeente krijgen?*

*Deze week misschien.*

*We wachten op een huis.*

De pijn. Zo veel pijn.
De pijn maakt me gek.

*Het sneeuwt.*
*We hebben gesleed.*
*Waarheen, lieve dochter van mij?*
*Waarheen?*

Ik ben zeven jaar. Zomertijd. Ik blijf alleen thuis tot na de middag. Ik heb geen tijd om me te vervelen.

Eerst moet ik de kalkoenkuikens voeren.

Ze zijn kwetsbaarder dan een kind van mijn leeftijd.

Iedere ochtend open ik de kartonnen doos waarin ze hun leven doorbrengen, in onze keuken.

Nederlanders kennen zo'n geur niet.

Iedere ochtend zijn er twee of drie dood tussen de andere twintig groezelige beestjes, die een doos delen waarin ik, als klein meisje, alleen mijn voeten of hoofd kwijt zou kunnen. De kleine dode lichaampjes vol luizen zijn nog warm, de levende diertjes houden hun dode lichaampjes warm.

Ik gooi ze weg in de kleine rivier. Met alle kracht van mijn armen moet ik ze weggooien, anders blijven de lijkjes langs de oevers hangen en onteren de honden of de katten ze over heel het erf en moet ik de bloedige, dode, warme kuikendarmen overal vandaan rapen en de vechtpartij beëindigen tussen de katten die dol zijn geworden van het bloed.

Maar nu regent het al dagenlang, de rivier treedt buiten zijn oevers en de kleine lijkjes vertrekken snel voor de langste reis van hun leven.

Daarna neem ik de grote mand mee (mijn lichaam past er gemakkelijk in), steek de rivier over, spring van de ene steen op de andere, laat de kleine put achter me waar de waterslangen doldwazer dansen dan ooit tevoren en kijk, daar ben ik in de grote tuin.

In de mand verzamel ik suikerbietbladeren om te koken voor het varken, brandnetels om te koken voor de morgen nog overgebleven kalkoenen.

Met de mand vol, steunend op mijn rechterheup, zal ik huiswaarts gaan, ik zal een groot vuur achter het huis maken en ik zal alles koken in een ketel. De enige zorg is nu hoe ik het vuur ruim een uur brandend kan houden. Tussendoor lees ik een boek dat zwart is geworden van het roet van het vuur, want de bladzijden sla ik om met vuile handen. De bladzijde waar Kamar Alzaman de schone Boedoer bezit, is zwart als de bodem van de gietijzeren ketel waarin ik alles kook. En als ik nu *Duizend-en-een-nacht* pak uit de kast met Roemeense boeken die ik heb meegenomen, dan kan ik mijn handen nog steeds bevuilen met dat roet.

Ik wil niet geloven dat dat het leven is. Zo'n pijn, iedere dag, ik deel de pijn met mezelf.

De pijn gaat weg als ik voel dat iemand van me houdt.

Ik heb deze pijn vanaf mijn Internaat, al zo'n twintig jaar.

Wat zal ik verder doen?

Ik wil geen zelfmoord plegen, zoals Aglaija Veterani.

Ik wil niet accepteren dat het einde van mijn pijn de dood betekent.

*Gisteren heb je een concert gehad, lief kind. Je hebt op het podium verteld dat je in Boekarest bent geboren.*

*Zelfverzekerd. Zo trots op je!*

*Twee bekende rappers waren uitgenodigd om op te treden. De zaal (meer dan driehonderd mensen) werd gek, ze hebben meege-*

*zongen, geschreeuwd, gescandeerd.*

*Ik kon je gezicht niet zien, je stond op de eerste rij, ik op de tweeëntwintigste (dat had ik jou beloofd).*

*De zaal, kinderen, tieners en ouders sprongen op en schreeuwden: 'Ik til je op, ik laat je de wereld zien.'*

*Driehonderd mensen kon ik niet tegenspreken, ik wilde het wel, maar het was niet mogelijk en ik wist dat je je zou schamen als ik dat deed, maar ik vertel jou, Eva: je moet de wereld met je eigen ogen zien, meisje, dat is de waardevolle wereld, je hebt daar niemand voor nodig, niemand heeft meer ogen dan jij zelf hebt en Amerika en Côte d'Azur kunnen niet mooier zijn dan de grote tuin onder mijn heuvel, bijvoorbeeld.*

*Wees gevoelig, blijf gevoelig.*

*Wees blij dat we niet in oorlog leven.*

*Jouw overgrootvaders zijn blootsvoets uit de oorlog teruggekeerd – ik zal je een keer hun verhalen vertellen – een naar het dorpje waar ik geboren ben en de andere naar waar je vader geboren is.*

*We hebben alles.*

*We kopen brood en fruit bij de* AH, *je hebt een fiets, een step, een waveboard.*

*Je hebt een vader.*

*Je bent gelukkig, je maakt iedereen blij.*

*Wij houden allemaal van je.*

Het verdriet, als een enorme waterval.

Ik was totaal niet voorbereid op zo'n groot verdriet.

Als een pasgeboren kuikentje ben ik onvast ter been.

Heb je nachtmerries of obsessies? vraagt de psycholoog.

Ik lach stom, ik kan me niet concentreren.

Nee, ja, antwoord ik en hij wil me laten zien dat hij geduld heeft of dat hij, net als ik, aan iets anders denkt.

Mijn pink groeit ineens en die Grote Pink wordt Ik en Ik val maar, ik val vanaf mijn kindertijd.

Maar dat is niet erg, want het duurt maar een paar seconden. Niemand wil mijn leven hebben, zelfs de Grote Pink niet. Maar als de Grote Pink mij wil substitueren, zal ik wel kunnen slapen.

Maar wat zal de psycholoog hiervan begrijpen? Niets, dus praat ik liever niet over de Grote Pink.

Niemand is schuldig, zelfs God niet.

Maar Hij kon van mij geen kunstwerk maken, Hij kreeg maar net een waar gebeurd verhaal voor elkaar.

Waarom zegt iedereen dat ik zo sterk ben?

Ik wil geen superwoman zijn, alleen maar geliefd en verwend, geliefd, geliefd, geliefd.

Ik vecht met de dag, maar de nacht overwint me.

Ik droom dat ik op de heuvels loop en jouw vader zoek. Het is mijn heuvel, maar het lijkt op een woestijn. Ik zoek hem overal, het is altijd dezelfde tijd in mijn droom: half twee en ik moet me haasten omdat ik jou moet ophalen van school, heb ik nog tijd om je vader te zoeken?

Al twintig jaar heb ik in mijn dromen een reservehuis, als een reservesleutel, in alle nachtmerries woon ik daarin. Dat huis bestaat niet, maar het is mijn basis, mijn ziel misschien.

Ik loop altijd naar dat huis in mijn dromen, maar nu is het huis leeg. Toen ik nog samen met jouw vader woonde, gingen we in mijn dromen naar dat huis en waren we altijd gelukkig daarin.

Je bent zo verdrietig, zegt mijn psycholoog.

'Dat verdrietige meisje moet je accepteren.'

Een dergelijk werkwoord irriteert me sterk: accepteren.

En als dat niet lukt, wat gebeurt er dan?

Dan blijf ik mezelf, ontzettend moe gedurende de eerste maanden van het jaar, labiel in de lente, ziek in de zomer, depri in de herfst – maar vol plannen en heel depri, vol paniek in de winter.

Zal iemand mij accepteren?

Zal ik dat nog aan iemand vragen?

Ja, ik ben Mira, depri, moe, gek, depri, enthousiast, de moeder van Eva-Linda, met een enorme liefdeshonger, sekshonger, honger in het algemeen.

Ik eet en daarna geef ik over. Cool.

Klein meisje van drie jaar oud dat ik me herinner, klein meisje dat door het kleine riviertje liep, tegen de stroom in en verdrietig, waarom was je toen verdrietig?

Wie weet het?

'Je moet haar accepteren.'

Maar had ze al honger, honger in het algemeen?

Roemenië, jaren zeventig.

Mijn vader, mijn moeder, mijn Internaat.

Darmwormpjes.

Overal wormpjes.

In mijn slipje wormpjes.

Daarom liep ik bloot in het water.

In het bordje van het Internaat wormpjes.

Levende witte wormpjes in de witte bonen.

Honger.

Doe je ogen dicht. Open je mond! Eten!

De wormen gaan door de mond naar binnen en komen terug naar buiten via je kont.

Dat moest je 'accepteren'.

Ik wil niets accepteren, ik ga door.

Ik ga door.

Wie zal ik worden?

Ik geef over. De wormen komen terug door de mond.
Gedeprimeerde wormen.

Het beste nagerecht van mijn kindertijd was suiker op een stukje polenta. Oma spuugde op de suiker, zodat deze (suiker was op de bon, een halve kilo per persoon per maand) er niet af zou vallen.

Toen opa, na maanden zonder vlees, een jaar voor de Revolutie een lam slachtte, begrepen wij meteen dat hij een crimineel was en hebben we dagenlang gewacht op het moment dat de Militie hem zou komen oppakken.

Opa heeft het lam onder zijn vijf kinderen verdeeld en omdat papa het zwarte schaap van de familie was, moesten wij ons tevreden stellen met een tweetal poten van het lam. De poten waren snel op, maar wekenlang daarna leefden we nog met de angst dat opa gearresteerd zou worden.

Op de plek waar het lam was gevild, was gedurende een krap half uur (de sporen moesten worden uitgewist) een plasje met water verdund bloed achtergebleven.

Datzelfde plasje met water verdund bloed heb ik gezien in de slaapkamer van mijn andere grootmoeder, de dikke, toen mijn tante (drie jaar ouder dan ik) bij zichzelf een abortus had opgewekt. Ik heb toen geen vlees gezien, maar wel hetzelfde bloed in een emmer. Mijn tante bleef, halfdood, weken in bed liggen. Ook toen verwachtten we dat de dikke oma (toen was zij de moordenaar) door de Militie opgepakt zou worden.

In dezelfde kamer waar ik de emmer vol bloed van een ongeboren kind zag, heeft grootvader (van de dikke oma) zelfmoord gepleegd.

Het lukte hem niet, maar ik herinner me nog steeds het grote graf (wilde hij een metaforische moord plegen?) in de vloer, twee meter diep, tot aan de fundering van het huis (hoe kon hij dat? vraag ik me achteraf af). Het was wel bijzonder om zo veel grond in de kamer te zien, opa bezorgde zichzelf een begrafenis in zijn eigen slaapkamer. Dit was eigenlijk de meest bijzondere kwestie in zijn hele leven. Hij heeft na deze morbide happening nog jaren geleefd, doodongelukkig en constant dronken.

Wat Herta Müller doet met de Roemeense intellectuelen doe ik met mijn moeder.

'Waarom hebben jullie niets gedaan?'

'We hebben het geprobeerd', etc.

Ik was voor mijn man een importbruid die niet dezelfde rechten als een 'echte' had. Waarom? Voor het juiste antwoord moet ik niet alleen door zijn ogen naar mijn donkere haar kijken, maar verder, naar zijn grootouders en overgrootouders en moet ik proberen hun dromen waarin alleen God een rol speelt en de mens geen kans heeft, te begrijpen. Maar ik denk dat wij zelf kiezen door welke ogen we naar de wereld kijken en ik weet nu dat mijn donkere kleur te sterk en stralend was voor ogen die de hoogheid van God tussen de koude muren van een kerk zoeken. Wat voor koude en vreemde en rigide God ontmoet je in een gebouw dat slechts één keer per week openstaat voor de mens?

Een van de sadistische pleziertjes van mijn stralende-huidneef was om mij bang te maken met enge verhalen. En zijn favoriete verhaal was dat Ceaușescu en zijn mensen – wie waren zijn mensen? eigenlijk iedereen, niet oma en opa en mijn neef met zijn familie, maar vooral de mensen die een auto hebben – kinderen ontvoerden voor hun bloed, want als een farao, of in westerse concepten, Dracula, moest hij eeuwenlang leven en ons bloed (mijn bloed) zou dat heel goed mogelijk maken.

Eigenlijk, verzekerde mijn neef me, moest Ceaușescu allang dood zijn (mijn vader zou het zeker eens zijn met dat stuk van het verhaal), maar zijn dokters ruilen zijn oude zieke bloed voortdurend met ons kinderbloed.

Mijn angst werd enorm.

Ik was iedere middag alleen thuis en ik durfde niet te ademen, laat staan rond te lopen in het huis!

Mijn dilemma was hoe ik aan die mensen van Ceaușescu duidelijk kon maken dat mijn eigen bloed ziek was (ik was drager van een herpesvirus) zonder met hen te praten.

Ik heb dus ontelbaar veel briefjes geschreven waarin ik een doodziek meisje van tien jaar oud was, vol ziektes en virussen; het gevolg van zo'n fantasie was natuurlijk dat ik mezelf serieus nam en mijn eerste dagboek staat vol grafschriften en overlijdensberichten over mijn eigen dood.

In de eerste vakanties van mijn Internaat kwam ik terug naar huis, naar mijn ouderlijk huis. De vakanties bij hen (zoals mijn hele leven daar) waren altijd een zenuwoorlog en ik werd aan de schandpaal genageld. Mijn vader vond me altijd te dik (na mijn eerste menstruatie is mijn lichaam in een paar maanden veranderd in een vijand) en ik heb jarenlang, deze jaren vooral, enorm honger geleden, de honger van heel Roemenië.

Ik was ook te kort, in de ogen van mijn vader, hoewel mama een paar centimeter kleiner is dan ik en hijzelf zeven centimeter langer is dan mama.

Mijn tanden waren ook niet mooi genoeg, mijn haar viel uit zonder bekende en (door mijn vader) geaccepteerde redenen, mijn neusgaten waren te groot. Ik lachte zoals mijn tante, met de mond scheef, dat was ook niet gewenst.

En belangrijker dan mijn lichamelijke tekorten: ik was geen genie, ik was alleen gepassioneerd door literatuur.

Niet slecht, in de ogen van papa, 'maar je zult gek worden'.

Toen ik een bril moest dragen (tijdelijk, zei de opticien, maar mijn vader was er niet bij om dat te horen), heeft hij dagenlang niet tegen me gesproken en ik wist waarom – de bril maakte me lelijker dan ik was in de bijziende ogen van mijn vader.

Ik noemde mijn vader 'papa', op de Franse manier; Roemeense kinderen noemen hun vader 'tata'. Ik denk nu dat dat een wanhopige, kinderlijke manier was om hem door dit Franse woord voor mij te hebben.

Dat was mijn enige manier om mijn enorme liefde voor hem te laten vloeien.

Toen hij een keer boos op mij werd, heeft hij het me verboden, hij zei dat hij het woord 'belachelijk' vond. Ik dacht toen dat ik een hartstilstand kreeg, maar ik kreeg daarnaast een syncopische liefde voor mijn vader, mijn liefde voor hem klopt twee keer en staat dan één keer stil.

Ik heb hem daarna nooit verteld wat zijn goede vriend van mij wou, papa heeft immers nooit ergens een oplossing voor kunnen vinden. Het feit dat ik mijn borsten haat, breng ik niet automatisch met zijn vriend in verband, maar met papa, die dingen niet wilde weten en tussen die dingen was ik ook verdwenen.

De mythe dat vaders in paniek raken als hun dochters (enige of niet) gaan trouwen was niet op mijn vader van toepassing.

Hij stond buiten de mythologie.

Na mijn achttiende begon ik thuis (in de vakanties bij mijn ouders) mannelijk bezoek te krijgen.

En ieder bezoek dat ik kreeg, gaf mijn vader een moeilijk te verbergen voldoening.

Ik begreep snel dat mijn vaders enige eis was dat de jongens niet lelijk moesten zijn.

Hoe knapper de pretendent, hoe tevredener mijn vader.

Een jongen op bezoek vond ik moeilijk en ik voelde me nooit op mijn gemak met mijn moeder en vader die dan deden alsof ze onzichtbaar waren. Dat valse gedrag verbaasde me, want ze konden nooit minder aanwezig of lawaaierig zijn als ik aan het leren of schrijven was, integendeel, hun refrein was dat ik niet helemaal normaal was als ik niet kon lezen/schrijven terwijl mijn vader voetbal keek met de tv op zijn hardst en opa al vloekend het paard besloeg of het paard uitschold terwijl hij het besloeg. Of als mijn moeder met haar hoge stem officieel aankondigde (en het publiek was altijd een andere hoge stem uit de buurt) wat we die avond zouden eten: witte bonen of aardappels of aardappels of witte bonen. De kans dat de buurvrouw hetzelfde menu had bedacht was altijd groot en tegelijk 'het begin van een grote vriendschap', die tot uitdrukking werd gebracht met gegiechel en gesmoorde gilletjes.

De som was geen som: een hooggestudeerde dochter blijft altijd een probleem, maar een getrouwde dochter is het summum van een mentaliteit, hun mentaliteit.

En ze werden zo rustig, ze waren soms echt aardig, mijn moeder had een keer voor een van de jongens de hele pot thuisgemaakte jam op een bordje gezet, een teken dat ze mogelijk aardige schoonouders kunnen zijn, maar geen aardige ouders, want eigenlijk moest ik gekozen worden door een van de jongens en niet andersom. Een paar jaar daarna, toen ze een koe konden kopen en hun koe – een kuiskalf en het kuiskalf werd een koe – konden verkopen, deden ze hetzelfde: verschillende mannen kwamen op bezoek en sommige kregen al dan niet wat jam op het bordje van mijn moeder.

Uiteindelijk werd de koe aan de buren verkocht.

In mijn geval was de zaak minder duidelijk en ik kan begrijpen hoe moeilijk dat voor hen was: na elk bezoek van jongens moest mijn moeder mij vertellen welke van de jongens mijn vader leuk vond en ik begreep verbaasd dat de favoriet altijd de knapste was, zonder verder commentaar.

Ik denk dat ik (vooral tot ik naar het Internaat ging) mijn ouders heb overleefd omdat we een grote tuin hadden. Buiten was ik, binnen waren zij, mama en papa.

Als mama ziek was (en ze voelde zich iedere dag niet lekker) sliep ze 's middags tot papa thuiskwam, om vijf uur.

Vijf minuten voor vijf werd mama wakker en dan ging ze direct naar de keuken, om aardappels te schillen.

Bijna iedere dag patat, Roemeense patat, dat betekende iedere dag iets vers.

Maar als ze ziek was, hadden we geen patat. Geen witte bonen. Dan werd papa zo bezorgd – Mili (de naam die papa aan mama gaf) kreeg thee, papa zat op zijn knieën naast haar tot Mili haar thee ophad. Ik was in de keuken, bezig met niets. Bij het zien van mij werd papa woedend: ben je zo ongevoelig, wat ben je ongevoelig en *klets!* een klap! Toen mijn moeder een week in het ziekenhuis lag kreeg ik elke dag klappen. Ik was toen bijna achttien, ik kwam speciaal van mijn Internaat naar huis om voor papa te zorgen, om drie uur 's nachts opstaan om voor hem te koken, om vijf uur te voet zeven kilometer naar het station, met de trein terug naar het Internaat, eind van de middag terug naar huis, weer dat eind lopen en zo een week lang. Toen mijn moeder thuiskwam was ik niet blij genoeg en dus kreeg ik bij de klappen een gratis douche in de grote ton om de hoek.

Maar buiten was de kleine rivier, de zolder vol hooi en nog bijzonderder: de heuvels vol madelieven. Niets bijzonderder dan de heuvels-vol-madeliefjes.

Wanneer alle vazen vol zaten met madelieven dan had ik nog emmers of glazen potten.

Binnen was mijn moeder aan het borduren en om de drie minuten maakte ze haar tanden schoon met de naald, mijn moeder die altijd alleen at, als papa niet thuis was ('ik was vergeten dat je thuis bent, normaal gesproken ben je op het Internaat').

Als ze niet beiden boos op mij waren (ik had de deur tegen de muur laten stoten, ik had hem zo hard dichtgesmeten dat de ramen ervan trilden en dus moest ik nolens volens in mijn kamer blijven), vond mijn vader me wel belachelijk, met mijn gebrekkige kennis van aardrijkskunde en met mijn – in zijn ogen – te grote neusgaten. En onder die omstandigheden ging ik vrijwillig terug naar mijn kamer.

We zijn buiten, het is warm, papa is thuisgekomen. In zijn werktas (die altijd naar zweet ruikt, een zuurzoete geur) had hij een watermeloen.

We eten samen buiten meloen, happend, met de wangen binnen in de grote sappige stukken, we eten als een varken, we spugen de pitjes op de grond, de kippen vergaren de pitjes sierlijk met hun snavels en vervolgens vegen ze hun snavels aan de stenen op het erf, wij lachen, de meloen is zo lekker, het maakt niet uit dat hij ook een beetje zuurzoet is, hij smaakt naar mijn vaders werktas, de meloen is op, mama en papa gooien overgebleven schillen naar de varkens. Zij lachen verder, ik ga terug naar mijn kamer zo blij, blij dat ik bij hen was.

Ik ben nog steeds gevoelig voor de zuurzoete geur, als ik hem tegenkom wil ik hem intens ruiken.

Maanden na de scheiding voel ik me als na een aardbeving. Blij dat je nog leeft, maar is dat echt zo?

Hoe maak je je eigen man duidelijk wie je bent en wat je wilt?

Moet dat nog gebeuren, want ik weet niet meer wie ik ben en wat ik wil.

*Lieve meid,*

*Ik hoop dat je nooit zult vergeten wie je bent. Ik hoop dat je nooit voor lang in de war zult zijn.*

*En als je in de war bent, kijk dan achter je: daar sta ik om je wakker te maken, zoals de geleerden van Swift wakker werden door een stokje waarmee hun hulpjes hun schouders aanraakten. Ik zal je er altijd aan willen herinneren: je bent mijn dochter, heel knap, mooi en slim, zelfstandig, o, zo zelfstandig al.*

*Ik heb sinds een paar weken een gevoel van tragiek en dat is, volgens mij, geen psychose, het is als het Griekse koor van de klassieke tragedies dat iets in mijn oor fluistert: 'O, o, wat gaat hier gebeuren?'*

*Ik houd mezelf in de gaten, maar de wil van de goden kan ik niet veranderen.*

De onzichtbare, sterke draad van de dood in de fragiele dagelijkse verweving van het leven.

Ik ben thuis bij mijn moeder, studentenvakantie.

Ik eet alleen in mijn eigen kamer, zij kijken tv in hun kamer, ik hoor hun lach, mijn vaders lach.

Ik wil zo graag bij hen horen, maar ik voel me niet lekker. Als ik naar hen toe ga, zal mijn vader me uitlachen. Ik ben of te mager nu, of te dik, of te gevoelig, te kort of doorgedraaid.

Ik heb te veel gegeten, ik ga kotsen.

Met horten en stoten, met tranen, het lekkere eten (na de Revolutie) komt niet makkelijk terug.

Mijn keel sluit zich en opent zich geforceerd, als in een verkrachting. Er stroomt bloed. Ik roep mama. Ze komen samen, zichtbaar verstoord.

In de teil liggen de hopen eten als grote drollen besprenkeld met bloed.

Papa wordt woedend, mama blijft afstandelijk.

Ze concluderen dat ik zwanger ben of al een abortus heb gepleegd.

Mama kijkt naar mij met een minachting waartoe ik nooit in staat zou zijn.

Ik huil, mijn maag doet pijn, mama en papa doen pijn.

Ik ben maagd, ik ben maagd, wil ik schreeuwen, ik ben maagd. Ik kijk naar de grote met bloed georneerde drollen braaksel. Ik ben maagd. Maar een seconde lang wist ik dat niet meer precies, mijn keel deed zo'n pijn.

*Lief kind van mij, Eva.*

*Ik hoor je buiten, liefje, jouw stem.*

*Niets is mooier dan jouw lach, want, als je lacht laat je zien wie je bent: een sterk kind, vol zelfvertrouwen.*

*Ik heb nooit zo hard gelachen.*

'Kon je geen andere vinden dan deze puistenkop?' heeft mijn vader me gevraagd toen een jongen van het theologisch seminarium me tijdens een vakantie thuis kwam opzoeken.

Ik begreep niet hoe papa van een mens niets anders dan zijn acne zag. Mijn eigen wangen werden rood en ik durfde het antwoord niet te geven: hij komt regelmatig bij mij op bezoek op mijn Internaat, jij, papa, nooit. Maar soms kan een mooie huid nergens door aangeraakt worden.

Het zal nooit meer goed komen tussen mij en mijn ouders.

Ik voel me schuldig en hypocriet, zo hypocriet: de moeder van een collega ligt in het ziekenhuis.

Ik vraag haar iedere dag: 'En?'

'Ietsje beter, Mira, dank je wel.'

'Gelukkig maar', antwoord ik en tegelijkertijd snijdt het dunne lemmet van de schijnheiligheid mijn hart in duizend plakjes.

Als mijn eigen moeder in het Roemeense dorp ziek wordt? Ik kan hen helpen met geld, maar volgens papa zal ik nooit genoeg medelijden met mijn eigen moeder hebben.

Met alle moeders ter wereld wel, met mijn eigen niet.

Vanavond bij het avondeten zal ik mijn eigen hartfilet eten, zoals in het gedicht van Barbu: *Hagi rupea din el.* Hagi beet zichzelf.

Deze rare tijd van de zondagen, tijd om te borduren, deze tijd wilde ik altijd met jou delen, André.

Familietijd, gezinnetjestijd, meer-tijd-voor-seks-tijd, uitgebreid-koken-tijd, laat-me-niet-alleen-tijd.

Wie te veel uitziet naar de maandag is niet gelukkig thuis of heeft geen thuis.

Thuis betekende: zullen we naar de grote badkamer gaan met de deken voor als je knieën pijn doen om een uitgebreid seksdiner te nuttigen?

De zondagen nu – tussen tien en negentien uur – zoek ik de geliefde huid van de geliefde. Ik kan niets vinden en ik ren door het huis, ontveld als het lammetje van onze hongertijd.

*Als je mij vraagt, liefje, wat een leven is, zal ik je antwoorden: 'Een leven is om door te gaan zoals in het spel estafette of in de sport.'*

*Soms sporten wij ons hele leven alleen. Alleen op een band.*
*Ik zal je nooit vertellen dat het belangrijk is om deel te nemen, nee, belangrijk is dat je de finish haalt.*

Instabiel en hysterisch, mijn man heeft groot gelijk.

Bij Ikea kan ik niet in de rij wachten tot Eva een plek krijgt in het 'kidsplein'.

Mijn nieuwe landgenoten in een rij vragen niet wat er te krijgen is. Een klein percentage van de mensen die in Roemenië een rij vormden wist wat er te krijgen was bij de winkel, als perfect gedresseerde, uitgehongerde, trieste apen kwamen we moeilijk vooruit. Suiker? Eieren? Sinaasappels?!!! Spijkers? Belangrijker was dat de rij bestond, dus kregen we iets om te eten.

Nog steeds gaat mijn bloeddruk omhoog als ik in een rij sta, mijn zenuwen exploderen. Mijn man schaamde zich met mij in de rij bij Ikea en met recht: ik maakte ruzie met iedereen die de regels van een rij niet kende. Ja, ik wist precies dat we in de rij van Ikea geen eten zouden krijgen, maar vertel dat eens aan mijn communistische cellen, aan mijn uitgehongerde DNA.

Het kind dat door de slager uit een rij voor vlees was gegooid, omdat ik leek op de vrouw achter me (mijn moeder) en slechts één gezinslid vlees kon krijgen en niet twee, droomt nog steeds over de slager.

Na de Revolutie vertelde iedereen, tot mijn heimelijke voldoening, dat de duizenden boeken van de slager (zijn trots) nep waren, van plastic, leeg als onze magen destijds.

Late en toevallige wraak smaakt het zoetst.

Het is zondag.

Papa is bezig op het dak, hij wil het dak repareren.

De lente komt, onze Roemeense lente, je kunt de reusachtige rug van de lente al zien: op de heuvels zie je nog een deken sneeuw, maar oma zegt dat de winter geen kracht meer heeft.

Op zo'n vijftien kilometer van ons huis ligt nog veel sneeuw, de mensen dragen daar dikke jassen, zelfs in mei zullen ze dikke jassen aanhebben.

Papa roept mij.

Hij is boos op mij. Wat heb ik nu weer gedaan?

Ik geef hem geen antwoord. Hij is op het dak. Vanaf daar kan hij mij geen klap geven. Mama kijkt teleurgesteld naar mij, maar ze kijkt nooit anders.

Papa schreeuwt en mama moppert. We horen een geluid en BOEM! Ik zie papa niet meer. (Ik probeer te berekenen of de mogelijkheid dat ik klappen krijg nu groot is of klein.)

Nu schreeuwt mama.

Ik ren, voor alle zekerheid, in elk geval, weg. Het is altijd mijn schuld.

Weg, weg, eerst door het riviertje, daarna door de tuinen, ik merk de nieuwe bloemen in de tuinen op, ja, de lente komt, ik kan ze nu niet plukken, verder over de kleine weg en dan ben ik bij de andere oma, de dikke, de koude kikker.

'Papa is door het dak gevallen.'

Alle oma's hebben een gevoel voor drama, maar deze had er nog iets bij.

Ze duwt me en zegt: 'Je hebt je eigen vader vermoord.'

Precies Sarah Bernhardt.

Ze neemt dezelfde route die ik was gekomen: over de kleine weg, door de tuinen, door het riviertje. Ik durf haar niet te volgen. Ik heb mijn eigen vader doodgemaakt.

Stomme lente, stomme bloemen, stomme tuinen, stomme rivier!

De weg terug duurt zo lang!

Er zijn nu meer bloemen in de tuinen, de zon straalt, er is meer water in de rivier.

Hoe heb ik mijn eigen vader vermoord?

Thuis is papa levend en ongedeerd, geen been gebroken, niets. Maar niemand praat met mij.

Was het niet altijd zo?

Ik moet hier weg, weg van hen, verder dan de tuinen, verder dan de kleine weg.

Waar ik niemand een uur lang dood kan maken.

Het is nog januari, Hollandse winter.

Iedereen heeft nog dikke jassen aan, zelfs de Hindoestanen hebben jassen aan, maar ze lopen wel op slippers. Het is mooi zo: Hollandse vrouwen dragen in de zomer laarzen en jurken zonder mouwen en de Hindoestanen trekken midden in de winter slippers aan.

We emigreren en nemen onze seizoenen mee.

De identiteit als een Titanic.

Japanse meisjes met moderne kapsels, kleine donkere Lolita's met rode nagels, Soedanese vrouwen, lang en met mooie silhouetten, met een onzichtbare mand op hun hoofd, Surinaamsen, stralende donkere snuisterijen met een ring in hun fijne neus, Zuid-Amerikaansen met witte tanden en mooie beha's, lekkere trotse Indonesische vrouwen met hun mooie billen.

Deze vrouwen, die de zon van hun landen hier willen brengen.

En ik, met mijn grote libido, hoe onzekerder hoe groter het libido!

Ik heb nog geen huis, ik wacht op de Roemeense lente!

Met mama in bed.

We slapen samen in hetzelfde bed, want papa is weg, maandenlang, om voor het Grote Kanaal van Ceaușescu te werken.

Hij en zijn maten van de fabriek gaan naar de Zwarte Zee. Wij zijn nog nooit naar de Zwarte Zee geweest.

'Breng mij daar ook', zegt mama tegen hem en hij belooft het, hoewel we alle drie weten dat dat nooit zal gebeuren. Ze gaan nooit uit.

Ik ben niet bang met mama, maar mama wel met mij.

We slapen niet, we maken ruzie. Dus ik wil weg, naar mijn kamer; er is geen kachel daar, maar bij mama is het benauwd.

Ik kan niet over mama heen uit het bed springen, dus wurm ik me onder de gestikte deken door om aan het voeteneinde te kunnen ontsnappen. Ze pakt me met haar kleine handen beet en trekt me terug. Het doet pijn, maar ik probeer te ontsnappen uit haar greep. Ze slaat me en ze trekt me terug naar het kussen.

Ik klim op de deken, dan pakt ze me bij de nek en wurgt me. Ze wil me naar de kelder brengen, de kelder is buiten het huis, het is vochtig daar, de slakken slepen zich voort over de muren, je hoort in het donker een straaltje water stromen.

Maar papa zal in het weekend met verlof komen, hij zal kauwgum voor me meebrengen, ik zal het kauwgum aan mijn neefjes geven, ik lust het niet maar ik kauw mee, papa brengt ook een blik cacao voor ons mee, echte, zegt hij elke drie minuten. We hebben geen brood maar wel een blik cacao en straks zullen we ook een Groot Kanaal hebben 600 km ver van huis, niemand van onze familie zal het ooit kunnen zien.

Misschien duurt de liefde maar zeven jaar.

Toen ik zeven was zei mijn moeder dat ik dood moest gaan.

Waar was de moederliefde gebleven?

Na zeven jaar huwelijk zei mijn man: ga maar naar een

ander. Hoe kon ik naar een ander gaan, was hij niet voor het hele leven dan? Zullen we niet meer samen oud worden? Zullen we niet meer samen teruggaan naar de heuvel van mijn kindertijd?

Op die heuvel stond ik jarenlang te bidden om jou te ontmoeten. God heeft mijn gebed verhoord, maar ik wist niets over 'zeven jaar maar'. Ik dacht dat jouw 'geen plezier of zin' wel zou verdwijnen, maar eerder dan dat was onze liefde verdwenen.

Voor jou heb ik die twee stomme lingeriesetjes gekocht, want jij had altijd een voorspel nodig.

Voor jou heb ik zeven jaar lang geknikt: 'Ja, mam, alles is duur in Nederland. U hebt gelijk, mam.'

Ja, mam, ik ben geen goede vrouw voor Uw zoon, ik ben geen goede vrouw voor geen enkele Zoon, ik houd niet van Zonen, ik houd van mijn man, ik ben geen goede huishoudster en ik houd van kleren en sieraden, ik heb wel de Bijbel gelezen, ja, ik ben ook christen, heel Roemenië is christen, ja, mam, misschien weet U dat, ja, het is niet erg dat ik iedere keer huil in de kleine wc van Uw huis, mijn eigen moeder is gemener dan U, de tranen maken mijn ogen mooier, voor mijn mooie ogen is Uw zoon naar Roemenië gekomen, of niet, ja, mam, ik heb olie gemorst op het tapijt in Uw vakantiehuis, het spijt me, maar de oliefles wilde niet met mij kletsen en maandenlang heb ik in Uw dorp geen mens gezien, geen buurman of buurvrouw, ik heb alleen eenmaal de schoenen van een buurman gezien, hij had de schoenen buiten gelaten en toen, verrast, wilde ik tegen de oliefles zeggen: 'Kijk, de schoenen van de buurman willen gedag zeggen', maar de stomme oliefles had geen verstand van onzekere schoondochters die niets weten over het leven, zelfs niet hoeveel water je moet sparen als je een douche neemt; ja, mam, ik heb wel van Marcus gehoord, in Roemenië mochten wij ook lezen, heeft

Uw zoon U dat nooit verteld, ja, Ceauşescu wilde graag dat we goed zouden lezen, liever Lenin dan het evangelie van Marcus, maar waren niet beiden de zoons van hun lieve moeders?

Toen, in dat vakantiehuis van mijn schoonmoeder, is er iets in mij gebroken. Toen begon ik weer gedichten te schrijven en dat is bij mij een teken dat ik hulp nodig heb. Andrei moest toen, net als altijd, geld verdienen, want ik pushte hem om een huis, ons huis (ons?! ik wist toen niet dat hij een huis voor zichzelf zou kopen, niet voor ons) te kopen, met echte buren en een schouwburg in de omgeving, een huis waar de olieflessen niet tegen mij konden praten.

De wasmachine luistert naar mij en de wasmachine begrijpt alles:

Tjonge-jonge.
Tjonge-jonge.
Tjonge-jonge.
Satellietbeelden van mijn hart.
O, alstublieft, verken dit gebied.

Drinkwater had in het dorpje waar ik geboren ben verschillende kwaliteiten.

Je kon drinken van de put met waterslangen, die gebruikt werd door drie of vier families.

Het water was er bijna altijd troebel.

Op de zeldzame momenten dat het water helder was, zocht ik eerst in de waterspiegel mijn gezicht en mijn toekomst. Geen van beide kon meer vertellen dan wat ik al wist. Daarom liep ik iedere ochtend als meisje van negen ongeveer tien minuten naar de put met de galg, langs de weg, met twee emmers in mijn hand.

De put met de galg was te smal en te diep om mijn gezicht in de waterspiegel te kunnen zien. Laat staan de toekomst.

Ik vestigde derhalve mijn hoop op de auto's die heen en weer reisden over de weg. Ik was er elke dag zeker van dat een van de auto's vlak bij me zou stoppen en iemand in de auto me zou vragen naar de beste Roemeense schrijver of dichter. Ik kon toen al een uur lang gedichten reciteren uit mijn hoofd en ik had altijd een mening voorbereid over alles wat ik had gelezen. Ongeveer vijf jaar lang was de weg naar de put met de galg voor mij meer een toets dan een teleurstelling. Niemand is ooit, in al die vijf jaar, voor mij gestopt, maar mijn repertoire groeide en groeide en dat had eigenlijk niets meer te maken met mijn geheime wens dat iemand op een dag met de auto voor mij zou stoppen.

*Toen jij in groep 1 zat, liefje, ging je een keer op bezoek bij een klasgenoot, hij was de jongste van vier broers en op die dag was hij alleen met zijn vader en de oudste broer thuis.*

*'Je moet niet naar de wc gaan met de vader of met de oudste broer', heb ik je gewaarschuwd.*

*'Het is hier geen internaat, mama!' was jouw antwoord en ik was zo verbaasd dat je al op je vierde wist wat mijn Internaat betekende.*

Maar eigenlijk was alles al veel eerder begonnen.

Nog voor ik naar school ging, wist ik hoe sperma eruitziet. De oudste broer van mijn neef had me daarover geïnformeerd en voor de les had hij voor illustratiemateriaal gezorgd.

Tot het experiment klaar was hield ik mezelf op afstand, want ik was een beetje bang om iets van de grote jongenswereld te mogen aanraken.

Het was ongeveer in dezelfde tijd dat ik met vijf of zes neefjes buiten aan het spelen was toen iemand van ons zei: 'Kom snel, mama en papa zijn aan het neuken en we kunnen ze zien door het raam.'

Ik was toen de enige die niet geïnteresseerd was. Ik bleef op hen wachten.

Ik weet alles al, moet ik gedacht hebben. En, in zeker opzicht, had ik helemaal gelijk. Een paar jaar eerder, midden in de nacht, had ik alleen, door niemand gestoord, van het begin tot het einde naar mijn vader kunnen kijken die bezig was met een deel van het lichaam van mama.

Ik sliep toen met hen in dezelfde kamer en vanuit mijn bed (een fauteuil die 's avonds tot bed werd uitgetrokken, die mama en papa nu nog steeds hebben, met het hout van de leuningen gescheurd nog van toen, met een intieme geografie in de rimpels van het hout die me fascineerde en waar ik naar keek tot ik er duizelig van werd en ik moest overgeven wanneer ik me niet mocht of niet kon bewegen in de slaapstoel), kon ik mijn vader zien en horen.

Dezelfde mooie geluiden heb ik jaren later nog gehoord in een museum tijdens een demonstratie met ouderwetse locomotieven.

Ik heb van mijn vader veel geleerd en ik heb bijna niets vergeten, daarom herinner ik me dat een van de eerste lessen was dat ik niet op mijn neefjes lijk, dat ik heel raar en heel koppig ben en niemand ooit zal houden van zo iemand die zelfs de duivel ziek kan krijgen.

De tweede maar even belangrijke les kwam van mijn moeder, en zoals veel vrouwen maakte ze rijkelijk gebruik van dramatische effecten om zo overtuigend mogelijk te zijn: ik mocht hen niet in de steek laten wanneer ze oud zouden worden.

Een van de voorstellingen vond plaats bij mijn ontslag uit het ziekenhuis na alweer een poging van de dokters om de cultuur van wormen en aarsmaden in mijn ingewanden te elimineren. Na een week lang elke dag twee klysma's te hebben ondergaan kon ik niet meer gewoon op mijn kont zitten en zag ik eruit als een circuskind, ik was iets ouder dan zeven jaar (maar daar, in het ziekenhuis, had ik het vreselijkste relaas over een verkrachting gehoord uit de mond van een prachtig meisje van precies mijn eigen leeftijd, en tot aan de leeftijd die ik nu heb heeft geen enkele gespecialiseerde tv-serie het verhaal van mijn kleine en onschuldige kamergenote op de schaal van afschuw en fascinatie kunnen evenaren) en ik werd verblind door het licht van buiten. Ik stond met mijn rug tegen een treurwilg, ik hield me nauwelijks op de been. Mama keek naar me alsof ze me net had vergeven dat ik zoiets vreselijks had gedaan: dat ik een reservaat darmwormen huisvestte, die kennelijk echt van me hielden, zo vreemd als ik was, omdat ze niet weggingen na de zoveelste poging van de Roemeense geneeskunde om hen te vernietigen – en mij tegelijk, als neveneffect.

(Jaren daarna, meer dan tien jaar later, in mijn Internaat, tijdens een les geschiedenis, trok ik nog steeds met mijn handen in de wc levende spoelwormen uit mijn anus.)

Ik denk dat we toen, vlak bij de treurwilg, wachtten op de bus om terug naar huis te gaan. Iedereen kon makkelijk zien, toen, in het stralende licht van de stralende ochtend, dat we geen rijke mensen leken, mijn moeder en ik, zij in haar koudechocomelkleurige jas met een van haar onvergetelijke grijze rokken, zonder enig sieraad, zonder trouwring (ze hadden nooit geld gehad voor een trouwring en mama heeft er later een voor zichzelf gekocht, ik was al vertrokken uit het Internaat) en ik, klein voor mijn leeftijd, gekleed in iets wat 'berenjas' wordt genoemd in het Roemeens, want je gaat ervan op een beer lijken, een van het goedkoopste soort nepbont gecombineerd met stof, zonder taille, zonder vorm, een van de ontelbare massaproducten van het communisme. Bijna alle arbeiderskinderen droegen zoiets. Maar toch hadden wij misschien meer dan de oude vrouw die naar ons toe kwam om ons kweeperen te verkopen. We hadden iets meer alleen in haar ogen die zagen (waar of niet waar, nu niet waar, maar toen mogelijk wel waar, al was ook dat maar van korte duur) dat wij elkaar hadden, mama en ik. Mama, met een scherp gevoel voor ideologie en de leringen daaruit, had de conclusie getrokken dat een van mijn toekomstige zorgen zou zijn dat zij en papa nooit kweeperen zouden hoeven te verkopen, zoals deze bedelares in mijn kindertijd, waarvan de steden vol waren, niet-officieel, want officieel tolereerde een zo bloeiende economie als die van ons Vadertje geen werklozen en zeker geen bedelaars.

Als mijn aandacht niet volledig zou zijn opgeëist door de innerlijke opstand van wat daadwerkelijk een bloeiende populatie vormde, en ik doel nu op de detachementen wormpjes die mijn gezondheid van binnenuit ondermijnden, had ik mijn moeder moeten antwoorden dat ze daarvoor allereerst, ik bedoel om samen met papa kweeperen te kunnen verkopen, een kweepeerboom zouden moeten hebben en noch zij noch andere familieleden hadden een kweepeerboom. De enige kweepeerboom waarvan ik in de herfst de heerlijke vruchten kon pikken stond ver weg, vlak bij het bos, in een tuin die, inderdaad, ooit had toebehoord aan een grootvader van mama, maar die nu van een oude man was die een been miste, een man met een houten been, maar die achter eventuele dieven aanrende met een snelheid waar geen van ons allen aan kon tippen.

Afgemat door te veel innerlijke strijd denk ik echter dat ik mama ervan verzekerd heb dat noch zij noch papa ooit kweeperen hoefde te gaan verkopen.

Waarschijnlijk heb ik haar ook een zoen gegeven.

Roemenië.

De heuvel van mijn dorp.

Roemenië verdwijnt in de verte.

De heuvel blijft staan.

Ik droom over de heuvel, in mijn dromen is de heuvel geweldig groot, zoals God. En zoals God praat mijn heuvel tegen mij in mijn dromen.

Alle koeien van alle families van het dorpje hebben de heuvel betreden. Ze hebben hem omringd, ze hebben gegraasd op zijn rug, erop gepist.

Van alle kanten kan de heuvel beklommen worden.

Maar het bekendste pad heeft een naam, ouder dan het dorp zelf: BijDeSchat.

Daar, Bij De Schat, vertelde mij mijn oma, heeft iemand ooit een schat (goud, veel goud) verborgen. Er waren altijd mensen die de grond omwoelden op zoek naar de schat, er zijn ook wetenschappers gekomen met zware apparaten, maar de schat slaapt nog steeds daar, en diep in de donkere nachten zonder licht (Ceauşescu liet elke avond de stroom uitvallen en niet altijd hadden wij kaarsen in huis) kun je de vlammen van de schat zien dansen daar, Bij de Schat.

Ik kan zweren dat ik ze ook gezien heb, maar waren het niet de sterren? Want daar, op mijn heuvel, worden 's nachts de hemel en de aarde een.

'Er zit gas, het is alleen maar gas', trok vader ons van boven naar beneden, met beide voeten weer op de grond.

'Gas, dat 's nachts ontvlamt en jullie hoofd zal verhitten', zei papa, pedagogisch, meer tot oma gericht dan tegen mij.

Oma accepteerde de demythologisering, tot de volgende keer als we het weer over de Schat hadden: 'Goud, meisje, veel goud, die grond zit vol goud.'

De ontelbare aardbevingen hebben de heuvel in ontelbare stukken gedeeld en als je niet oplet val je in een van de ontelbare kraters die na de aardbevingen zijn gevormd.

Zoeken naar de schat is nu makkelijker geworden, maar zoekt iemand nog wat?

Misschien is de schat ingedaald in de buik van de heuvel of is ze diep in ons verleden gedaald, in de herinneringen van onze op het lagergelegen kerkhof begraven grootouders.

De begraafplaats waar ik, de afgelopen zomer, het graf van oma niet meer kon terugvinden. Waar grootvader voor altijd naast haar ligt, in een onbeweeglijkheid die niet van hem is, maar van de dood.

Na de dood, pas na de dood, delen de mannen in mijn dorp de eeuwigheid met hun vrouwen.

Is het gebruik van een laptop daar toegestaan?

Als ik terugga naar de heuvel van mijn kindertijd, wat moet ik dan deze keer tegen God zeggen? Ik ben een slechte vrouw, God, ik kon en ik wilde mijn man niet meer vasthouden?

Ik heb hem niet gelukkig gemaakt, ik heb zijn bril wel dertig keer gebroken toen hij bij mij weg wilde (hij zegt nu dat hij alleen wilde wandelen, maar hoe kan een vrouw dat zeker weten en zonder bril zou hij tenminste niet ver komen.)

Ik heb alleen stomme dingen gedaan en ik ben niet gehoorzaam geweest, ik wilde altijd zijn huid aanraken en het baarde me in die tijd geen zorgen dat ik zo'n abnormale zin in seks had, ik dacht toen als een slim kind dat het leven al wat echt lekker is voor later bewaart.

*Lieve Eva-Linda,*

*We hebben het gister over het huwelijk gehad en jij zei tegen mij: 'Ik hoop dat het met mij anders zal gaan.'*

*Wat bedoel je daarmee?*

*'Ja, dat hij (met) mij niet gaat schoppen (lees: shoppen).'*

*Ik schaam me, Eva, dat ik niets anders kon doen, dat ik zo lang ziek ben geweest.*

*Met een pen heb jij gister tattoos op mijn rechterarm getekend: I – ♥ – mammie.*

*Ik zal mijn best doen om deze hartjes te verdienen, Eva.*

*Mijn hele huid zal ik aan jou geven en van mijn huid moet je geen land maken, zoals koningin Dido, maar een gezin: jij en ik.*

*Mijn hele huid, van mijn voeten tot mijn voorhoofd is voor jou, Eva-Linda.*

*Alle verdriet en teleurstelling moet je op mijn huid tekenen, niet in je hart. Ik zal altijd nog een plekje hebben op mijn huid, voor alles wat je achter je wilt laten.*

*We hebben hier geen oma die met jou naar de bios wil gaan, geen broertje of zusje, geen oom, maar we hebben de hele wereld voor ons.*

*En de wereld is opener dan welke familie dan ook.*

*De wereld zal voor ons altijd een plek hebben.*

*Zelfs God telt ons met de voornaam, niet met de achternaam.*

Het is zomer.

Maandagmiddag. Hitte. Roemeense hitte.

Teruggekomen van mijn peuterschool.

Het asfalt is heet.

Mijn neef en ik lopen op blote voeten. Hij is een jaar ouder dan ik.

Niemand vraagt thuis: Hallo, ben je terug van school gekomen?

Mijn moeder slaapt, haar middagdutje, en ik mag haar niet storen, oma is er niet, papa weg.

Stilte.

Dorpsstilte. Zomerstilte. Heet.

De huid van mijn neef stralend. De lucht stralend. Ik ben bijna blind van beide.

'Mag ik je huid aanraken?' vraag ik hem.

Hij geeft nooit iets zonder profijt, dus vraagt hij iets terug.

Op de witte muur van het oude huis maakt hij de vliegjes dood. Een voor een moet ik de dode vliegjes inslikken.

In ruil daarvoor mag ik zijn borst aanraken, zijn rug, de hele stralende huid.

De beste ruil als iedereen denkt dat zijn profijt groter is.

*We leven nu anders en mama huilt te vaak, maar ... herinner je je 'Doornroosje' nog?*

*'Ik kan de vorige toverwens niet helemaal ongedaan maken', zegt de zevende fee.*

*'De prinses zal zich inderdaad prikken, maar, in plaats van te sterven zal ze honderd jaren slapen en ten slotte worden gewekt door een koningszoon.'*

*Vergeet het deel met de koningszoon, maar weet je wat, liefje?*

*Als je in jezelf gelooft, word je altijd uit jezelf wakker en soms hoef je helemaal geen honderd jaar te slapen, maar slechts een tijdje.*

*Sprookjes zijn niet alleen om makkelijk in slaap te vallen, maar ook, soms, om juist echt goed wakker te worden.*

Wat voor spel zal het leven zijn? Russische roulette.

Je hebt je huwelijk verloren, je hebt je prins op het witte paard weggestuurd, je bent nu als een oud gebouw na een aardbeving – zal iemand daarin nog durven wonen? Of is het leven een vriendelijk schaakspel: geef mij het witte paard (zonder prins mag ook), dan geef ik jou de koningin.

Is het leven een cynisch strafspel?

Als God van iedereen houdt, waarom kan ik dan niet van een paar mannen houden?

Waarom mag ik er wettelijk maar van een houden?

Waarom zoeken wij de Ware en niet de Waarheid?

Ik werd vandaag gebeld door de gemeente.

Volgende week heb ik een afspraak met mevrouw VAN DE K(R)ANS.

Misschien krijgen jij en ik een huis, een huis van de gemeente en niet het huis van mijn man.

Misschien is de tijd van huilen voorbij.

*Lieve Eva-Linda,*

*We zullen het redden.*

*Mam*

# Tranendal

Binnen een straal van een paar honderd kilometer halen de vrouwen en de mannen, zelfs de kinderen op school, om deze tijd hun boterhammen met kaas uit hun tas en eten die op. Daarna drinken ze wat, de volwassenen een kopje koffie en degenen die hun boterhammen met kaas nog niet zelf klaarmaken een beker melk.

Het duurt allemaal niet langer dan een minuut of tien, ook al hebben ze ongeveer een half uur de tijd.

Binnen een straal van duizend kilometer veranderen de boterhammen in broodjes, neemt een glas wijn de plaats van de koffie in en wordt het halve uur aanmerkelijk elastischer.

Op 2.500 km van de plaats waar ik mijn koffie drink wordt nu gehaast gegeten, al lopende weg en zo snel mogelijk, alsof eten tijdens de pauze een schande is, maar hoe dan ook, gehaast of niet, op dit tijdstip nemen alle mensen hun lunch.

Overal, of het nu dichter bij of verder van de tafel is waar ik mijn koffie drink, worden sommigen 'gefeliciteerd'.

Voor anderen is het 'gecondoleerd' bestemd.

En dan zijn er nog van die mensen bij wie op dit tijdstip net een nier is verwijderd, omdat ze die doneren.

Het is niet echt een goed tijdstip voor verkrachtingen, behalve als ze plaatsvinden binnen het gezin, tussen vier muren.

Buiken zwellen op en slinken weer, enigszins, soms nauwelijks zichtbaar. Alleen bij het deel van de bevolking zonder penis zwelt de buik gedurende negen maanden zichtbaar op.

Hoeveel van de vrouwen die hun benen weer bij elkaar kunnen krijgen en binnen enkele dagen zelf hun veters zullen kunnen strikken, nemen hun kroost in de armen, glimlachend als voor de camera of de televisie? En bij hoeveel van hen schiet niet de gedachte door het hoofd dat het raam op de negende verdieping van binnenuit geopend wordt?

Op 3.000 km afstand van de straat waar ik woon veegt papa met de palm van zijn hand de kruimels bijeen op tafel. Alsof hij heet water in zijn knuisten heeft, beweegt hij zich met lange passen van de tafel in de keuken naar het bordes, waar hij de kruimels naar de eenden op de binnenplaats gooit.

In plaats van zelf een korst te pakken, springt een van de eenden een andere, meer ondernemende soortgenoot naar de keel.

Papa jaagt ze beide weg, pakt van de onhandig achter de deur verborgen kapstok een knapzak waarin hij een hamer, nijptang en spijkers in diverse maten heeft en gaat op weg om het hek van de hof te herstellen.

Het is een perfecte dag om het tuinhek te repareren.

Hij neemt de kortste weg, onder de kornoelje door die zijn bloesem uitstrooit, verder tussen de heuvels, de huizen achter zich latend, met zijn ogen weegt hij het gras dat in de tuinen van anderen sneller groeit dan in die van hemzelf, hij springt over de stenen in de rivier met een behendigheid die hem heimelijk een goede luim verschaft en houdt stil voor de laatste top, voordat het bos begint.

Hij slaat er geen acht op dat het bos suist, dat de takken een geheimtaal hebben en langzaam, ruisend op en neer bewegen, als een monnikenkoor in adoratie.

Papa vraagt zich af of het gat in het hek misschien nog groter is gemaakt door de beer die soms vrijelijk rondloopt door het dorp, er kippen pikt en rookhokken opent en de mensen hun huizen in doet vluchten. Dat zou immers betekenen dat hij geld zal moeten uitgeven voor een stuk gaas om het hek op te lappen. Spoedig zal hij tot zijn opluchting zien dat de schade niet groot is, dat het gat in het gaas eerder het werk is van een vos, dat de beer meer wordt aangetrokken door beschaving en vlees dat al gerookt is dan door papa's radijzen waarvan het niet eens zeker is of ze wel zullen uitkomen.

Zijn ingewanden zullen tot tweemaal toe trillen wanneer hij op die plek staat, genoeg om zijn goede stemming te verdrijven.

Hij wil zo snel mogelijk terug, want, al hoort hij het niet, hij voelt het bos wel en hij begrijpt diens zware zang, een lamento dat hem doet denken aan zijn binnenplaats waar de eenden een ander, welbekend lied zingen, schor als op een toeter.

Ik drink mijn derde koffie, de boterhammen met kaas, de rijst of de tapas zijn al op.

Nergens een tsunamiwaarschuwing, de gaten in de ozonlaag hebben het fatsoen om stilzwijgend te groeien, de depressieven hebben al gehoord of hun recept voor antidepressiva wordt verlengd of niet.

Ik zou me kunnen aankleden om naar buiten te gaan, om tram 17 te nemen naar Hollands Spoor en daarvandaan de trein naar Schiphol.

Om wat rond te slenteren over de luchthaven, mensen te kijken. Ik houd van mensen die elkaar omhelzen wanneer ze elkaar ontmoeten en die zo, arm in arm, op weg gaan naar hun huizen. Daarna kan ik weer terugkeren om op tijd iets warms op tafel te zetten. Iets gezonds voor Eva.

Maar als ik me zou aankleden en naar buiten zou gaan, zou het zomaar kunnen dat ik ontdek dat de straat waarin ik woon Eenzaamheid heet.

Of Verdriet.

Dat tram 17 naar Place du Mal rijdt of naar Tranendal, dat het vliegveld Kwelling heet en dat de eventuele vluchten vertrekken vanaf gate 666, Intolerantie of Vagevuur.

Wanneer de orde in het hoofd verstoord wordt, raakt ook de orde *erbuiten* verstoord.

Ik neem de tram naar Violence Park.

Het is dezelfde tram 17 waarin de voeten van de mensen stinken en niemand een raampje openzet.

Toen ik het een keer opende vroeg een grote zwarte man met een ruitenwisser in de hand: 'Is er niemand die je neukt?'

'Nee', antwoordde ik hem, tot zijn stomme verbazing. 'Ik ben gescheiden.' Alsof alleen getrouwde vrouwen worden geneukt. Maar ik had willen zeggen: 'Ik ben net gescheiden', dus: 'Ik heb nu geen behoefte aan neuken.'

In de tram ga ik zitten op een bankje voor twee, de tram is bijna leeg.

Door mijn hoofd dendert ook een tram, Van God Los.

Bij een van de haltes springt een vrouw haast pardoes op mijn schoot, ik kan mijn kont nog net naar de plek naast het raam schuiven.

Ik wil iets zeggen, maar ik zie dat ze tandenstokers in het haar heeft. Ook door háár hoofd dendert dus een tram.

Misschien wel dezelfde.

Bijna alle plaatsen zijn vrij, maar zij, met haar tandenstokers in het haar, als een Ophelia, berijdt mij. Hoe kun je aan de dood denken als iemand met tandenstokers in het haar je zo berijdt?

Mijn plan is om met het volledige saldo van mijn rekening een vliegticket te kopen.

Zo ver mogelijk, naar een wereld waar je zelfs geen woord als macramé verstaan kunt, waar het voor niemand meer telt of je leeft of niet.

Want, laat ik eerlijk zijn, ik geloof niet dat ik een zelfmoordenares ben.

Lijken zijn, als je er wat langer naast zit, enorm onaangenaam.

En dan heb ik het niet eens over het bloed, haar dat stijf staat van het bloed, plastic zakken over het hoofd, en ga zo maar door.

De luchthaven is kleiner dan ik me hem herinner; die in mijn hoofd is groter en leger.

Ik voel me verplicht om naar de stewardess te glimlachen wanneer ik het ticket koop.

*Have a nice trip!*

Semantiek was toch altijd de wetenschap van de toekomst? Nu lijkt me dat niet meer. Dat wil zeggen: niet van mijn toekomst.

Ik zal opnieuw aankomen op een station en ik zal gelijk oplopen met de golf mensen die zich naar buiten begeeft.

Ik zal honger hebben.

Het zal nacht worden.

Ik zal nooit zoals die bedelaar op een warme avond indruk op iemand kunnen maken met mijn perfecte uitspraak, met mijn bijzonder verzorgde taalgebruik.

Omdat ik geen enkele verstaanbare taal spreek.

Het niet-spreken doet geen pijn, het spreken heeft me

enorm veel pijn gedaan de afgelopen vijf jaar.

Woorden waren, de laatste jaren, als het werpen van een granaat in een vreedzame menigte.

Na iedere zin uitgesproken in de nieuwe taal telde ik de doden.

In het kindertehuis waar ik heb gewerkt, werd het uit Moldavië gebrachte meisje dat vier armen en vier benen had, opgesloten in een kamer om daar te verrotten.

Iedere ochtend heb ik haar verhalen voorgelezen, voordat ik mijn werk begon.

Ze lag daar op haar rug, als een spin die je omdraait om hem te doden. Terwijl ze met haar vier armen en vier benen een lot vlocht dat ze nooit zou hebben, maakte ze geen enkel geluid.

Ik leunde op het kussen, ik las niet meer voor haar, maar voor mezelf: 'Ik kan de vorige toverwens niet helemaal ongedaan maken.

De prinses zal zich inderdaad prikken, maar in plaats van te sterven zal ze honderd jaren slapen en ten slotte worden gewekt door een koningszoon.'

De acht ledematen rolden over me heen, het kwijl waarin haar tong baadde stroomde op mijn kin en borst en haar keel, waarop de schaatsen van het geluid nooit hadden gegleden, bracht een langgerekt 'aaaa' voort, als de naklank van een orgasme.

Misschien is de wereld wel met een dergelijk geluid in de grot van het Universum begonnen.

In mij verdwenen de geluiden, soms een voor een, soms allemaal tegelijk.

Ik ben soms zo onmachtig dat er met goed recht naar me wordt geschreeuwd.

Terecht word ik uitgelachen.

Mensen komen en gaan.

Het duurt een uur, vijf, een maand om ergens heen te gaan.

Je loopt naar de Albert Heijn en keert terug.

'Verdorie, ik ben vergeten boterhamzakjes mee te nemen.' Hup, naar de Albert Heijn. En weer terug naar huis.

Vrouwen op fietsen, met volle manden. Miljoenen vrouwen met volle manden. Ze denken aan wat ze vanavond zullen klaarmaken, ze moeten niet vergeten om te informeren of La Vaserette ook vloerkleden wast. Thuis zullen ze koffie drinken op het balkon. Hoeveel van hen keren terug van de Albert Heijn en verstoppen zich met een vibrator in de badkamer?

Een te lange gang ergens heen doet pijn. Je blijft een jaar op zee, naar wie keer je dan nog terug?

En voor wie zal zij de staafmixer kopen speciaal voor de courgettecrème?

Waarom verheugt hij zich meer over courgettecrème dan over het feit dat ik de eerste tien verzen van de *Ilias* nog uit mijn hoofd ken?

Waarom is stof op de inwendige trap zo slecht voor de relatie, maar het feit dat ik de ablatief vergeten ben niet?

Ik ga naar de Albert Heijn en keer terug, dus ik besta (Descartes voor vrouwen).

Ik ben in de Albert Heijn. Ik zoek dille.

We hebben geen dille meer en gaan zonder dille kan nog, maar thuiskomen zonder dille niet. Ik strijk problemen liever gelijk glad.

Hij kan boos naar zijn werk gaan of 's avonds boos gaan slapen. Ik blijf dan hangen als de bal met het elastiek die niet weg is maar ook niet terug in de hand.

Eigenlijk zouden we de volgende dag geen onderbroek mogen dragen als een van ons voor het slapengaan boos geworden was en de ander in orbitale toestand, niet-weg, niet-terug, had laten hangen.

Of, nog beter, we zouden verplícht moeten zijn om onderbroeken over ons kostuum te dragen, over onze pantalon dus, als we boos naar ons werk zouden gaan en de ander zo, hangend, hadden achtergelaten. Hoeveel mensen zouden dan zó gekleed gaan?

*Daar waar de menigte die het station uit stroomt me heen zal voeren, zal ik worden opgewacht door iemand van het derde geslacht.* Ik zal hem gemakkelijk herkennen.

Hij zal me water en een kopje koffie geven, hij zal de schoenen van mijn voeten halen, hij zal mijn gezicht en handen met een vochtige handdoek deppen.

Hij zal me een narcis laten ruiken en me vragen: 'Wanneer is de orde in het hoofd voor het eerst verstoord geraakt?'

Het antwoord zal ik al gereed hebben: '11 augustus 1999, 15.34 uur Roemeense tijd.'

Hij zal zoeken in de tijd en zoals je het hoofd van een kind controleert op luizen zal hij de vijftienvierendertig van 11 augustus 1999 eruit halen en wissen.

'Wanneer is de orde in het hoofd voor de tweede maal verstoord geraakt?'

We zullen een sigaret delen en het erover eens worden dat de minuten, de uren en de dagen van de volgende momenten van wanorde niet zomaar gewist kunnen worden, omdat ik dan de dag zou wissen dat ik bevallen ben, en die van het geven van de moedermelk, het eerste lied, de gang naar school.

Mijn dochters gedartel door de kamer met mijn beha om haar nekje, het haar bevrijden van die harde drolletjes in haar kontje met behulp van de koortsthermometer, haar conclusie dat onze stappen bij elkaar passen wanneer we samen op lopen ...

Het derde geslacht moedigt me aan om verder te vertellen.

... hoe ze haar mond afveegt wanneer ze overgeeft bij verkoudheid, het moment waarop zij, wanneer ik haar 's ochtends wakker maak, haar groenblauwe blik naar mij opwerpt ('ik heb je'), de uitspraken als 'ik vind het goor dat ik ooit ook schaamhaar zal hebben'.

Het derde geslacht knippert begrijpend met zijn ogen.

Hij richt zijn ogen omhoog en toont me *de sterrenhemel boven mij.*

Orion, Taurus, Perseus en Cassiopea vormen een tabel, alsof je een Excelbestand opent.

Grote Beer vormt de cursor die schrijft: *'Al je beslissingen waren goede beslissingen op het moment dat je ze nam.'*

De cursor is gestopt en in plaats van letters staan er nu punten en daarna niets.

Het derde geslacht duwt even met zijn voet tegen de stoel waarop ik zit en zegt: 'Wist je dat absoluut alle boeken die worden geschreven over engelen gaan?'

Ik schraap mijn keel alsof ik wil antwoorden, maar ik weet niet wat. De trein wacht.

Op de terugweg zoek ik het Noorden en houd dat aan.

Waarom duurt een terugreis altijd korter dan de heenreis?

De ballen van een man hebben de grootte en vagelijk de geur van kaasknoedels.

Maar een dergelijke openbaring (die mijn dag zo veel mooier maakt) geneert mijn man. Hij weigert simpelweg om bewonderd en betast te worden, om met zijn donkerheid naar het licht gehaald te worden, waar we beter zien en begrijpen.

Een dood stuk vlees, als je het goed bereidt met hollandaisesaus, weet zijn aandacht vast te houden en stemt hem vrolijk.

Maar als ik die hollandaisesaus op mijn borsten smeer, wendt hij veganisme voor.

Als je gasten hebt, steek je in de keuken niet snel je vinger in zijn anus en kun je het niet maken de soep aan te zuren met sperma.

En als ik *daar waar de menigte die het station uit stroomt me heen zal voeren, door niemand zal worden opgewacht?*

Net als altijd.

Waarom zou je zo bang zijn voor de dingen *die al zijn gebeurd?*

Het is vroeg in de ochtend.

Je zit op de trappen van de rechtbank en kijkt naar de mensen die naar hun werk gaan.

Dat doe je in je eentje, je neemt niet je man of je vrouw of je kinderen mee wanneer je naar je werk gaat. (Als je dat wel doet zullen sommigen – vooral de vrouwen – met verachting naar je kijken. Maar jij hebt voor het eerst een familie en je wilt ze overal bij je houden.)

Je gaat naar je werk en je gaat naar huis.

Je leven lang, totdat je een niertransplantatie nodig hebt of de *kleine mensen onder het huis* een polka onder jouw voorhoofd beginnen, elke ochtend opnieuw.

Met het geld dat we verdienen kopen we spullen: cd's met muziek die ons ontspant na een vreselijke dag van almaar staan, massageapparaten, glijmiddelen, vaginale balletjes, opblaaspoppen.

Ik ben klein van stuk, ik koop schoenen, ik ben geen bijzondere schoonheid, maar ik koop wel kwaliteitskleding.

Ik heb zwart haar, donkere ogen, een accent, wanneer ze naar me kijken zien de mensen in mijn omgeving nergens de *kwaliteit.*

Maar wanneer ik haute couture draag varieert mijn 157 cm lengte buitengewoon, alsof ik rechtstreeks op de schouders van meneer Lagerfeld was geklommen en rechtop sta, als in het circus.

Het neveneffect van het kleren kopen is dat ik, voor eens en altijd, een dilemma heb opgelost dat een parallel vertoont met literatuurtheorie: schrijft de dichter (auteur) voor zijn lezers of juist niet?

Door mijn vehemente, negatieve en onbeleefde antwoord op deze vraag werd ik ooit bij een college literatuurtheorie uit de zaal gezet door de befaamde professor Eend – die precies mijn lengte had, maar geen kleren kocht.

Ik in die tijd ook niet, vandaar mijn ontkennende antwoord.

Maar eenmaal met de ervaring van het kleding kopen en het visualiseren van het publiek waarvoor je defileert, begreep ik dat een schrijver precies hetzelfde doet, of hij zijn kostuum nu past in het Armanihuis of in een boetiek om de hoek, of zoals Emily Dickinson (in mijn studententijd mijn tegenvoorbeeld), staand voor haar kleine tafeltje.

Ik verbeeldde me dat ik na vijf jaar intensief kopen wel zou ophouden.

Eens in de vijf jaar haal je die lange, zigeunerachtige rokken, voor één zomer, weer uit hun dozen, net als die Stalinachtige winterkleren, met taille en slippen.

Na vijf jaar kopen heb je zo'n beetje alles wat je (niet) nodig hebt.

Maar dat dacht ik toen de wereld nog als een Ford op zijn wielen voor me stond.

Wanneer ik, zoals nu, op de trappen voor de rechtbank zit en naar de mensenmenigte kijk, is de zomercollectie zwart-wit en banaal.

Soms springt het felle rood in het oog van een lipstick op de dunne lippen van een vrouw. Dus zij accepteert zichzelf zoals ze is en houdt zelfs van zichzelf.

Iets schrikt krachtig op in mij: heb ik ook niet op het punt gestaan dat ik alles had? Had ik niet alles?

Als ik tegen mezelf zeg: 'Ik heb nog steeds alles', voel ik een pijnscheut van binnen, het is als het stikken in braaksel.

'Mammie, wat eten we vanavond?' is krachtiger dan 'Ook gij, Brutus?'

Mammie is ziek.

Mammie dwaalt door het park als in een borgesiaans labyrint.

Mammie bukt zich niet om de eerste gevallen kastanjes op te rapen.

Tussen de vier kastanjebomen stromen rivieren van vuur, Scylla en Charybdis staan klaar om me te grijpen.

Als ik de kast opendoe waarin ik conservenblikken opsla (de angst voor honger uit de communistische tijd) zie ik de zwarte huid van Hydra die Atlantis heeft doen zinken.

Daarom at ik ook geen blikgroenten.

Is het niet beter als mammie weggaat met de menigte?

Ik zal in een ander station aankomen. *Ik zal me laten meevoeren met de menigte die het station uit stroomt en er zal niemand meer zijn die op me wacht.*

'Wie heeft je dat aangedaan?' zal de dikke politieagente die eigenlijk kantoorwerk doet me vragen nadat ik twee weken op straat heb gebedeld.

'Niemand', zal ik antwoorden als de zoon van Neptunus.

'Niemand.'

Als mijn dochter ongetrouwd blijft, op een zekere leeftijd is gekomen en ik in het verleden leef, zal ze me wellicht komen opzoeken in het tehuis waar mensen zoals ik tijdelijk worden ondergebracht.

Ik zal haar vertellen hoe mijn toekomstige echtgenoot zich op een donderdagavond, in een hal vol studenten, vanuit de richting van het decanaat een weg baande door de menigte. Zo hard ik kon, had ik me naar hem toe gedraaid en samen waren we toen vertrokken, voor altijd.

Mijn ooglid zwelt op, de onderkant van mijn oog lijkt te barsten, mijn oog is als een graf bedekt met een zachte ruit, ik kan niet in mijn eigen oog kijken, maar ik zie.

Zie je het witte licht waar je naartoe gaat?

Het is Eva die scrabble met je wil spelen. En naast haar de heuvel, als een foto in reliëf, en de rivier waarin je als kind de wol waste die oma vervolgens ging spinnen. Verderop staat, een beetje gebogen, het droevigste lied dat papa met zijn mooie stem zong, je zult het altijd horen: herdertje-lief met driehonderd schapen. Je ziet ook de schapen, de wol zul je eeuwig wassen in de te ondiepe bedding van de rivier, en de kleine, witte en lawaaierige hondjes (die voor jou in het water springen zoals jij je in de armen van je man wierp en hem om liefde vroeg), ze maken een rij en zwemmen rond in het oog dat je hersenen helemaal uitholt.

'Hoe gaat het met je?' vraagt Lica, de oude weduwe die een zoon moet grootbrengen en nooit met iemand praat.

Verder zie je velden vol wilde bloemen de vlakten bedekken. Je ziet je ziel, ze wassen hem als een dode die gestrekt op tafel ligt.

Ik zal blijven liggen in de kloof waar ik vroeger boeken las en opnieuw op hem wachten, zoals toen in die hal vol studenten.

Ik heb nooit precies geweten wat ik met mezelf aan moet.

Als kind voelde ik er nooit veel voor om te dwalen tussen de benen van grote mensen.

De grote mensen van toen waren mama en papa (mama verveelde zich snel en papa trok, na een korte test van mijn kennis, de conclusie dat ik een zeef was), oma en opa (ik leek uiterlijk te veel op mama en als ik hen onder ogen kwam zagen ze in mij altijd die schoondochter die ze zich niet gewenst hadden), de ooms en tantes (dat enig kind, het enige enig kind in de hele familie, ziekelijk, aanstellerig, huilerig), en daarom nam ik boeken mee en vluchtte weg van huis, naar een kloof waarin ooit een autobus was gestort, ongeveer van de hoogte van een flat met tien verdiepingen, en daarbij waren alle inzittenden (op een na) – weliswaar niet overdreven veel, maar genoeg om de hele kloof te vullen met kruizen – om het leven gekomen.

Die kruizen waren overwoekerd door bloemen en gras, margrieten met enorme hoeden, hoefblad zo groot als een stevige paraplu, verwarde struiken van de vanilleorchidee.

Niemand maaide er het gras, de mensen waagden zich niet op die vervloekte plek.

Tussen de bosjes groeiden wilde aardbeien, zo klein als een hazelnoot en zo zoet als ze onder de Spaanse zon nooit zullen worden.

Alleen Gekke Nicu, de enige overlevende van het busongeluk, daalde soms af in de kloof. Hij was nog een kind toen het ongeluk gebeurde, hij was met zijn moeder op weg naar de stad, misschien had zijn moeder hem wel een ijsje beloofd als hij haar niet boos zou maken.

Zijn moeder overleed ter plekke, hijzelf werd bevrijd na uren geploeter door de mensen die eerder ter plaatse waren dan de brandweer, die van 100 km ver moest komen.

Nicu daalde af in de kloof, onder de struiken zocht hij het kruis van zijn moeder. Ik weet niet of hij me echt niet zag of dat hij me gewoon negeerde. Ook ik zou geen kik gegeven hebben, zelfs niet als mij erom was gevraagd.

Nicu werd steeds vrolijker, hij praatte met iedereen. Je kon hem 's nachts aan je deur treffen of zelfs bij je in huis. En wie weet waartoe hij in staat was!

Ik nam altijd meerdere boeken mee, soms had ik hoofdpijn en braakte ik onder de struiken.

Wanneer ik de letters niet meer onderscheiden kon ging ik huiswaarts, versuft, helemaal verzonken in een wereld die totaal niet leek op de wereld van mama of die van de ooms en tantes. Als iemand me op de terugweg begroet zou hebben, had ik het uitgeschreeuwd van schrik, ik was dus niet volledig opgegaan in de wereld in de kloof.

Ik was al een kleine Bovary, als we de liefde, waarvoor ik nog te jong was, even buiten beschouwing laten en alleen letten op de boeken, waarvoor geen leeftijdsgrens bestaat (of bestond).

Ik heb tijdens mijn huwelijk een huis gehad met een paar kamers, een keuken.

De keuken stond altijd vol, het is me nooit gelukt om hem leeg te maken.

Conservenblikken, pakken suiker, sappen.

De spullen waarvan de datum verlopen was gooide ik stiekem weg, waarna ik nieuwe kocht.

Een overvolle keuken, die me eruit zette, die het niet redde zonder mij maar ook niet met mij.

Het diner was altijd te overdadig, voor ongeziene ooms en tantes, voor genodigden die nooit kwamen.

Met mijn vrije hand duw ik de deur van de keuken naar de woonkamer open, ik besmeur de deur met saus, een andere keer zal ik hem wel schoonmaken, dan kunnen we nu eten, dan kan iemand hardop zeggen dat ik zo mijn best heb gedaan: elke dag struin ik urenlang het internet af op zoek naar recepten.

Het hele huis zit onder de saus, de tafel zucht onder het gewicht van de pannen en borden, ik slik alsof ik door de nacht ren en door een woest beest achternagezeten word.

Het vlees uit de pannen hecht zich aan de armen, mijn armen worden ronder, spoedig zal ik vier kuiten hebben, ik zal mezelf bakken in de oven, als een kippenpoot.

Twee rimpels die met de dag dikker worden snijden mijn neus ter hoogte van mijn ogen. Met een oogpotlood volg ik de lijn die ze vormen en die de ogen met elkaar verbindt. Ik ben een rare ninja. Met het broodmes zal ik iedereen die elke dag warm eten op tafel wil, in mootjes hakken.

Ik ben getrouwd op een vrijdag, om een uur of drie uur was ik een getrouwde vrouw. Ik heb mama en papa gebeld om hen dat mee te delen.

Ik weet niet waarom het geen issue was om naar mijn bruiloft te komen: ik had meer dan de helft van mijn leven zonder hen geleefd. En daarnaast was het ook een gebrek aan geld, aan moed. Papa heeft de moed niet om ongelukkig te zijn en ook niet om weg te lopen van huis. Alsof hij op het randje van een continu orgasme zit en moet klaarkomen, je moet hem met geen vinger beroeren. Papa moet elke dag gelukkig zijn of ten minste thuis zitten, onder zijn eigen abrikozenbomen, onder zijn perenbomen. Sloffend met zijn slippers in de zomer of stampend als een oud hert met zijn grote laarzen in de winter. Van het huis en de tuin naar de poort en de schuur. Op het dak om de sneeuw eraf te gooien, tot zijn middel ontbloot in de zomer, met de zeis over de schouder. Verbrand door de zon en moe, maar thuis vraagt hij dan aan mama, en hij spreekt daarbij een beetje door zijn neus, het is nauwelijks waarneembaar, om hem een half uur te laten rusten aan het begin van de middag.

Waarschijnlijk heeft mama (die nog nooit op vakantie is geweest) hem overtuigd om bij ons op bezoek te komen, zo'n vier jaar nadat we waren getrouwd.

Hij vond nergens wat aan, te veel mensen, te weinig lucht, te heet eten, te veel schapenkaas.

Op bezoek bij mijn schoonouders wist hij zich voor hen

onzichtbaar te maken, pijnlijk zichtbaar voor mij.

Mama antwoordde alleen met 'ja' op alle vragen en, omdat ze het 'ja' niet nog ja-er kon maken dan het al was, kwam ze bij elk 'ja' iets dichter naar haar gesprekspartner toe en riskeerde daarbij van de bank te vallen waarop ze gezeten was.

Ze concentreerde haar hele wezen in die ene lettergreep die niemand al te veel moeite kost om uit te spreken, misschien deed ze het wel voor mij. Ik vrees dat als de schoonouders haar toen gevraagd hadden een nier te doneren, zij – in de trance waarin ze was geraakt – ook geen seconde geaarzeld zou hebben om ja te zeggen.

De meubels van nepbarok, scheepsbuiken met kleine in hout gesneden fantasieën, in vergelijking met hun eigen geïmproviseerde kasten, de bank die je er, zoals een te nauwe vagina, elk moment uit kon werpen, in vergelijking met hun eigen bedden met gesprongen veren waartussen je hopeloos verdronk, het duistere huis, als een verschijning uit het Oude Testament, in vergelijking met hun huis, als een trein met kapotte ruiten, dat door papa was gebouwd, dit alles voelde mama aan, zonder het te begrijpen, en haar hysterisch ge-ja waar maar geen einde aan leek te komen, was meer een offerritueel van een tafeltennisser die vrijwillig de ring van een sumoworstelaar betreedt.

Mama en papa waren snel vertrokken (papa bijna rennend, door alles verlamd, maar vooral door de taal waarin hij geen 'ja' over zijn lippen had kunnen krijgen, zelfs niet als je hem zijn ogen zou hebben uitgesneden), ik bleef achter en van tijd tot tijd zei ík, in de plaats van mama, 'ja'.

Er zijn werelden die elkaar nooit zouden moeten ontmoeten. Als je ze elkaar laat ontmoeten, zoals ik heb gedaan, bezondig je je aan hybris. Hoewel ik soms de indruk heb dat ik dat al mijn hele leven doe: me aan hybris bezondigen.

Tijdens een van de eerste ontbijten met mijn toekomstige schoonouders zei ik iets over de dunne plakjes prosciutto en vroeg ik mijn man te vertalen. Zijn aarzeling en vooral zijn irritatie hadden me moeten alarmeren, maar soms luiden alle klokken gewoon niet.

'Met zulke plakjes kalfsvlees zou Dido niet alleen Carthago, maar ook ons hebben teruggekregen.'

Ik weet echt niet wat me bezielde. Dacht ik nou werkelijk dat mijn schoonmoeder een fan van de *Aeneis* was en begreep wat ik bedoelde?

Ik denk dat ik alleen mijn mond maar wilde opendoen, om (opnieuw) te leren praten, al was het maar via vertaling. Maar ik had de verkeerde persoon voor me.

Ik belandde in een soort van syndroom van Asperger op het gebied van spreken, op het gebied van taal en communicatie.

Ik wist niet hoe ik moest zeggen 'ik ga naar de markt' of 'het regent buiten', maar ik kon moeiteloos aantonen dat de theorie van Descartes over *verlangen* twee polen heeft.

Ik ben nergens, ik pas in geen enkel landschap.

Nooit heb ik het lef gehad om papa ook voor mezelf op te eisen, en ook nu durf ik niet tegen mijn dochter te zeggen: en nu is papa eventjes voor mij alleen!

Niemand heeft me ooit gemist, niemand heeft om me gehuild.

Als ik ineen zou storten met mijn hoofd op de tegels, na een slok Furadan, zullen ze zeggen dat ik een zelfmoordenares was, wat niet waar is.

Dat ik me nergens heb *geïntegreerd*, wat wel waar is.

Dat ik geen essentiële dingen wist, dat de plaats van de vrouw in huis is, in het gezin, wat niet waar is.

Alleen was het een plek die niet bij mij paste.

Dat ik té gevoelig was.

Ik wil alleen dat men van me houdt zoals ik ben.

Maar ik zal nooit met mijn hoofd op de tegels vallen en ik zal nooit Furadan drinken.

Ik zal doorlopen tot de wanorde in mijn hoofd verandert in orde, totdat de muur op mijn kruin me niet meer zal laten struikelen.

*Ik zal meelopen met de menigte die het station uit stroomt en daar zal niemand zijn die op me wacht.*

Wanneer ik in de vakanties thuis kwam uit het Internaat vroeg de jongste zus van mijn moeder (drie jaar ouder dan ikzelf) me: 'En, heb jij ook al een vriendje?'

Zij had dat wel: een lange, blonde jongen, iets wat nog nooit was vertoond in haar familie van brunetten en brunettes.

Al snel trouwde ze met hem en na een jaar zag ik haar weer. Ze was kleiner, donkerder, dunner, de mensen vroegen zich af hoe het toch mogelijk was dat zo'n fiere knaap met zo'n lelijk meisje was getrouwd.

Mama vertelde me heimelijk dat hij haar had opgesloten in een grafkelder op het kerkhof vlak bij hun huis, dat hij haar daar een nacht had laten zitten. Na een tijdje was ze zwanger van hun tweede kind.

'En hoe zit het nu met die grafkelder?' vroeg ik aan mama.

'Welke grafkelder?' vroeg mama verwonderd. 'Hij is enorm veranderd, hij heeft werk gevonden, hij brengt geld in het laatje, je tante is trots op zichzelf dat ze hem niet heeft laten gaan.'

Het verhaal van de grafkelder was voortaan iets voor mijn nachtmerries.

Ik dwaal door het huis, ik klamp me vast aan dingen als: pyjama uitdoen, koffiedrinken, kijken wat we kunnen doen.

Moeizaam houd ik me vast aan de meubels die niet bij elkaar passen, in dit huis waarnaar we verhuisd zijn, mijn dochter en ik, provisorisch, totdat ik zal begrijpen waarheen nu verder.

Een sleuteltje in het mechaniek dat ik ben, weigert nog langer rond te draaien.

In mij voel ik de kracht en tegelijkertijd het loslaten van alles.

Ik heb gewed op een illusie en heb verloren.

En nu, waarheen?

De verschrikkelijke angst uit mijn kindertijd dat ik niets ben, heeft me ingehaald. De vrees dat als je in de spiegel kijkt je alleen jezelf ziet, de angst voor de grafkelder waarin de eenzaamheid je opsluit, ik kijk niet graag in de spiegel: haar dat grijs wordt, ogen die genóég hebben gezien, het kinderlichaam, hetzelfde lichaam dat niet gegroeid is.

Waar zijn de spotlights die het leven, als een getalenteerd fotograaf, op je kan richten?

Eenzaamheid: we spelen met z'n tweeën, we liggen languit op het bed en je werpt in één beweging je haar over mijn hoofd – ik zie niets, het is heerlijk om onder jouw haar te liggen als onder een wilg, ik huil.

Ik schaam me, maar ik huil voor mezelf, je bent bij me, met mijn lippen raak ik je neusgaten, het is alsof ik blaadjes van klaprozen pluk in een tussen heuvels verborgen vallei. Op een dag zul je een huis hebben met je eigen kinderen, met een man of een vrouw, met wie jij wilt, ik zal altijd ergens blijven, ik ken de eenzaamheid zoals een crimineel zijn eigen misdrijf kent, ik heb haar jaren goed verborgen weten te houden, ik heb alles gedaan om haar diep te begraven, maar ik draag haar met me mee, zoals die ongelukkige moeders in de tijd van Ceaușescu die er niet helemaal in waren geslaagd om hun boventallige zuigelingen te aborteren en ze zo, als miskraam, ter wereld brachten. Zij duwden ook een kar vooruit waarin hun eigen misdaden hen pijnigden; ik duw mijn eigen eenzaamheid voort, over heuvel en door dal.

Ik slik 's avonds de pillen die ik soms in tweeën breek, maar op andere momenten gewoon maar heel laat.

's Ochtends weet ik nooit precies waar je bent en de vraag 'waar is Eva-Linda?' komt als een reusachtige watergolf.

En daarna de reflux, na zeven seconden: 'Eva is op school.'

En dan de volgende golf: 'Hoe laat moet ik haar ophalen?'

Ik ben een moeder, ik ben jouw moeder, bij de volgende reflux zal ik alle pillen in het water gooien.

Ooit zag ik eens twee penissen die elkaar beroerden en zich verenigden. Ik vond het net zo ontroerend als toen het kalf twee poten uit de vagina van de koe stak en opa eraan trok om het arme wezentje er ook met de andere twee uit te helpen komen.

Toen ik mijn eerste geplukte veldbloemen mee naar huis bracht, 'zigeunerkutten', schold mama me de huid vol en gooide de bloemen weg; het was de enige bloem in onze streek die aan een en dezelfde steel bloemen in alle kleuren droeg, donzig en schitterend mooi, maar mama schaamde zich om ze in vazen in huis te zetten.

Naar 'paardenlullen', die volgens mij veel meer gelijkenis vertoonden met de realiteit waarnaar ze waren vernoemd dan de zigeunerkutten, kon ik alleen maar loeren; ik geloof niet dat ik ze ooit geplukt heb, uit angst voor de straf die me thuis te wachten zou hebben gestaan.

Ik vind het fijn om tussen de rijen boeken in bibliotheken door te lopen, ik houd ervan om hun titels te raden of me in te beelden dat ze prachtig zijn, dat ze in hun buiken alle waarheden herbergen, dat ze zullen redden en troosten, dat ze hun schoonheid geleidelijk zullen blootgeven en dat zij ons zullen overleven, zoals de ruggen van de heuvels en de bergen.

De schoonheid zou ons moeten redden, we zien haar zo gemakkelijk over het hoofd. Ik ook.

De schoonheid is in alles, in alles wat altijd heeft bestaan en in alles wat nog in wording is. Als een gigantische meteoriet de aarde zou verpletteren, zou de chaos die zou resten, de duisternis met de vlam, de puls van de pijn in het Universum, het goddelijk oog doen knipperen door de schoonheid. God is, boven alles, een estheet.

De schoonheid die we waarnemen zou ons genoeg moeten zijn: de stenen in de rivier die het dorp waarin ik ben opgegroeid in tweeën deelde, het mos op de bomen in het bos, de droge afdruk van een paardenhoef, het paadje waarlangs de vader van mijn grootmoeder ooit naar beneden was gekomen, van zijn huis in het bos naar het huis waarin oma met haar man was gaan wonen om papa te verwekken die mij weer heeft gemaakt zodat ik Eva kon baren, het paadje dat reeds in mijn kindertijd buiten gebruik was geraakt, maar waarlangs ik nog steeds met mijn geestesoog een vader zie afdalen om zijn dochter te komen bezoeken, een vader die zou doodgaan aan een ordinaire voedselvergiftiging, maar die tocht naar zijn getrouwde dochter zal nooit sterven of pas gelijk met mij, tegelijk met alle andere beelden in mijn hoofd: de door aardbevingen heen en weer geschudde emmers water, het glimmende terracottareliëf van de tegelkachels in het ouderlijk huis die waren gebouwd door de oude man die ik voor het eerst had gezien toen ik met de bus terugkwam van de levensmiddelenwinkel. Hij was de enige onbekende in de bus en ik hoopte vurig dat die onbekende man bij ons thuis zou komen, ik *had gebeden* of het zo mocht zijn en het was ook zo, hij was de kachelbouwer die papa had ingehuurd om onze tegelkachel te bouwen. Ik was zeven jaar oud, papa bouwde nog aan het huis, en nadat de man zijn gereedschappen uit een reusachtige aktetas had gehaald, serveerde mama hem eten op een broodsnijplank, ze verontschuldigde zich dat het niet meer dan een eenvoudige maaltijd was, maar hij bedankte tevreden en blij als voor een koninklijk banket.

Er zijn ook dingen die ik niet zelf heb beleefd of gezien, maar die ik weet van horen zeggen. Ik heb ze me toegeëigend, ik ben ze niet vergeten. Voordat oma met opa trouwde had ze met een banketbakker de bergen beklommen en die had bij de afdaling een ijsje voor haar gekocht, een knappe vent die ook een goede carrière in het vooruitzicht had, maar oma had de voorkeur gegeven aan opa, die, denk ik, nooit iets voor haar heeft gekocht; de wijngaard waar niets meer van over is, in de tuinen waar mama speelde toen ze klein was. Desondanks heb ik onder een oerwoud van lange uitlopers en reusachtige lianen, op een paar kilometer van huis toch nog druiventrossen gevonden. Daar speelde mama dus als kind, onder een immense druivenhemel, in de tijd dat haar moeder de dunne pony in haar haar met wat spuug recht plakte, zoals op de enige foto van mama als kind die bestaat! En papa die als kind van school naar huis was gestuurd omdat je zijn kont kon zien door de enige broek die hij had en waarvan de grootste stukken stof werden gevormd door de lappen die zijn moeder er met naald en draad had op gezet en die ook al weer gescheurd waren, waardoor papa, zonder het te willen, zijn mannelijkheid toonde, waarvan ik denk dat ook hij daar nooit erg overtuigd van is geweest, maar het was een schande om die te laten zien, vooral in de ogen van een juf. En dan nog opa die zijn wagen met paarden ment, door de vlakten van mijn land: hij vertrekt van de heuvel, waar wij wonen, beladen met appels en peren van onze fruitbomen om ze te ruilen voor de maïs van de bewoners uit de lagergelegen vlakten. Voor mijn geestesoog zie ik hem wegrijden, staand in de wagen, terwijl hij zijn paard in toom houdt in de drukte, Ajax met zijn strijdwagen had niets meer dan hij!

Mijn hersenen bewaren ook nog beelden zonder enige zin of verhaal. Een grote kamer, een andere, met een hoge dorpel. Nergens had ik die gezien, maar mijn meter had mama ooit verteld over een neefje van haar, het was iets van dertig jaar geleden, en van dat hele verhaal had mijn brein een kamer geconstrueerd die nooit meer uitgewist kan worden, een kamer die verder niets zegt, maar die gewoon bestaat zoals een wasknijper die je niet weggooit, die gewoon in de la met lepels ligt, om maar iets te noemen, zonder dat je weet waarom.

En dan zijn er nog die struiskameelvogelbeelden, vergelijkingen zonder logica en betekenis, die voortkwamen uit tijd, plaats en gebeurtenis. Ik hoorde over de dood van Lady Di toen ik de sleutel vroeg bij de receptie van een hotel, naast me stond een jongen die, op de leeftijd die hij nu moet hebben, lijkt op Marlon Brando in *Last Tango in Paris*.

Als ik op het moment dat ik doodga zeggen zal: 'de halster van het paard hing aan een spijker boven de put met stront in de stal, een mus vloog voor de eerste maal met zijn kuikens uit om ze te leren vliegen' zou dat in de ogen van een vreemde kunnen betekenen dat de slapeloze nachten me gevloerd hadden: alzheimer, dementie. Maar als ik over mezelf zou praten, zou ik op die manier een naam en gezicht geven aan een beeld dat alleen mijn DNA draagt, voor niemand zou het ook maar iets betekenen, maar ik ben van het beeld zoals het beeld van mij is, ik zit erin zoals de naald van een spar de spar zelf is.

In het weekend, wanneer Eva naar haar vader gaat, zijn mijn persoonlijke objecten:

Een mes, het grootste dat ik in huis heb (ik beeld me in dat het mes een eventuele inbreker afschrikt),

de vibrator,

sigaretten.

Ik neem geen telefoontjes aan en pleeg er geen.

Het heeft me een leven gekost om te begrijpen dat ik het wel verdiende dat mama en papa van me zouden houden, wat voor kind ik ook moge zijn geweest.

Ook dat mijn huwelijk is mislukt doet niet meer zo veel pijn.

Ik ben als een schip dat zijn motoren op volle zee heeft uitgezet en nu drijft op goed geluk, als in een horrorfilm.

Ooit voer ik met alle motoren op volle toeren.

*Ik zal meelopen met de menigte die het station uit stroomt en daar zal papa op me wachten.*

Hij zal zeggen: 'Lieverd van me, pas nu heb ik begrepen wat voor vader ik ben geweest.

Geef me een kans om vanaf nu een goede vader te zijn.'

Ik weet dat het niet waar is, papa kan zo niet praten.

Hij zal zeggen: 'Mihăiță (de mannelijke vorm van mijn naam), vergeet gewoon alles, joh. Ben jij nou maar zo sterk? Hoe kan dat, een vrouw van achtendertig en dan huilen als een kind om melk, weggaan bij je man vandaan, je kind meenemen en dan rondbazuinen dat hij je een keer een klap gegeven heeft?

Jij bent zoals je bent, hij werkt, hij brengt geld in het laatje, hij drinkt niet, hij rookt niet, hij loopt niet, God verhoede!, achter andere vrouwen aan, kom tot bezinning, wat ben jij nou voor een moeder?!

Wat geweest is, is geweest, het is jouw plicht om vooruit te zien en verder te gaan!'

Als hij uitgesproken is zal ik wegrennen, ik zal vluchten tot het einde van de wereld en daarvandaan zal ik me in een andere wereld werpen, zonder vaders. Met ooms, met vreemde mannen.

Vreemde mannen durven zoiets niet tegen je te zeggen.

Wat doen ze dan? Iets moeten ze doen!

Ze vinden dat je grappig bent, ze willen je vrienden leren kennen.

Ze zeggen vreemde woorden zoals: 'Ik genoot van je aanwezigheid.'

Wat moet een vader over zijn dochter weten?

Niet veel misschien, maar hij moet er wel zijn.

Is ze dom, van het soort dat hij echt vreselijk vindt?

Pech dan, ze is zijn dochter.

Wat is een dochter? Hoe moet ze zijn?

Een lange periode van hun leven zijn het lieve meisjes die duizendmaal per dag 'papa' willen zeggen.

Ik begin oud te worden en ik heb tot nu toe nog niets begrepen, helder is voor mij alleen de liefde voor mijn kind.

Voor de rest ligt alles nog steeds in de schemering.

Ik kijk naar Eva hoe ze aan het spelen is. Speelt ze of doet ze alsof ze speelt?

'Komt papa me morgen halen om me naar zwemles te brengen?

Komt papa maandag dan?'

De pijn werpt met messen, er rolt weer een wals over mijn borst, alsof iemand met een hand mijn adem dichtknijpt. Mijn ademhaling brandt, ik adem gif.

*Alles* is kapot.

Wanneer is alles kapotgegaan?

Waarom is alles kapotgegaan?

Ik heb alles kapotgemaakt.

Ik heb, zoals altijd, alles kapotgemaakt.

Ik ben het, ik, die met mijn broek in de hand over de binnenplaats rende, als kind.

Omdat er meestal niemand bij me was 's morgens thuis, was ik niet gewend om kleren aan te hebben.

Ik kleedde me aan wanneer er iemand kwam en er kwam nooit iemand.

En toen iemand me een keer riep (wie zou mij moeten roepen?) schrok ik en kwam ik bloot naar buiten, in het daglicht waarvan ik nog meer schrok, met mijn broek in de hand.

Het was mijn juffrouw, die in het geheel niet glimlachte toen ze me zo zag en het is alsof het gevoel waarmee ik weer naar binnen ging toen zij vertrok mijn leven vanaf dat moment heeft gedefinieerd: een gêne gemengd met het lichte gevoel van voldoening dat haar bezoek niet helemaal een catastrofe was. De onderwijzers bezochten hun leerlingen onverwachts om ze te treffen in hun echte leven, in het milieu waarin ze leefden, een communistische gewoonte uiteindelijk.

Ik was bloot, nou en?!

Ik had toch een broek in de hand?

Eigenlijk wist ik niet goed wat ik daarmee aan moest, ik was tien en mijn leven kende alleen de vorm die er ik er aan gaf, ik was gewend om de diepte tussen mijn benen een paar keer per week te bekijken, in een spiegel in de kamer waar niemand woonde, om te lezen, naar school te gaan en 's avonds luisterde ik vanuit de hal of mijn kamer hoe mama aan papa vertelde dat ik alleen maar *stommiteiten* beging en, vooral, dat ik érg brutaal was en zelfs dat ik *een plank voor mijn kop* had en dat het zéker is dat er niets van me terecht zou komen.

Dus, als het leven niet echt een ramp is (we leven, hebben te eten), waarom is alles dan toch kapotgegaan?

Een vraag die mijn sudoriferousklieren activeert: ik zweet nog meer en ik word nog onrustiger.

Ik krijg geen adem.

Ik weet dat iemand me moet stoppen.

Ik weet het perfect en ik kan niet ophouden.

Het moet afgelopen zijn, hè?

Het moet eens afgelopen zijn met dit kloteleven!

Ik kan Eva niet gelukkig maken, ik kan haar niet helpen kiezen om te voorkomen dat ze niet zó véél lijdt. Want zoals die emokinderen die op hun zestiende zelfmoord plegen en zoals Byron zelf zeggen: 'Het leven is de dood.'

En hoe!

Ik moet er een einde aan maken, we moeten er een punt achter zetten.

Ik kan er geen punt achter zetten als ik niet weet wie Eva morgen naar zwemles brengt.

Iemand moet voor Eva zorgen, zodat zij altijd haar hoofd boven water zal kunnen houden.

*Daar waar de menigte die het station uit stroomt me heen zal voeren, zal iemand zijn die op me wacht.*

Het is degene die je begrijpt, hij redt jou.

Hij is enthousiast over alles wat je zegt, elke pijn van jou doet hem pijn.

Hij haat iedereen die je kwaad heeft berokkend, hij spreekt met jouw woorden, hij belooft dat hij je nooit in de steek zal laten.

Hij kijkt naar je, precies als de leraar Frans toen je klein was.

Diep in je ogen, lang.

De leraar Frans is allang dood, van cirrose en eenzaamheid.

Hij heeft zijn appartement nagelaten aan de priester die hem begraven heeft.

Wat zou er zijn gebeurd met de duizenden goed bewaakte Gallimard-edities achter de ruiten van de boekenkast?

Jarenlang dacht ik voor ik ging slapen aan zijn dikke, overal even dikke, reusachtige vingers, zij bestaan niet meer.

Alleen nog in mijn geheugen, en de tijd die is verstreken heeft de angst voor zijn dikke vingers bedekt, zij bestaan niet meer.

Waarom houden we van degenen die ons kwaad doen?
Omdat ze ons aandacht schenken.

Waar gaan jullie heen?
Maakt het uit?
Een kamer, niet de zijne en niet de jouwe, een hotel.
Jullie zullen je opsluiten en hij zal de sleutel weggooien.
Toen je klein was riepen alle aanrakingen angst bij je op, maar toen wist je al dat alles een prijs heeft.
Je was niet dom en ook niet echt lelijk, een interessante combinatie, niet voor papa, maar wel voor andere vaders.
Toen je groter werd veranderde de angst in gêne, soms verdween de gêne.
Je bent nu groot, waarom moet je nog bang zijn?
Hoe schoon hotelkamers ook zijn, ze hebben altijd iets smerigs over zich: de onzichtbare sporen van de levens van anderen.
*So what*, je gaat als Dorothy naar Oz.
Seks heeft nooit iemand gered.
Maar hij begrijpt jou zo goed, hij kent je.
Hij wil seks én jou redden.

Het kan zijn dat als iemand je goed behandelt en je weinig vertrouwen hebt in jezelf, je tedere gevoelens verwart met seksuele gevoelens.
Maar kun je je alles wel precies herinneren, wat er toen en toen en toen exact is gebeurd?
Is niet alles een emotionele compositie van de laatste dertig jaar?

Kan de tweede man beter zijn dan de eerste?
Toen jij de eerste leerde kennen kwam je helemaal tot bloei, je was als een kersenboom in een Japanse tuin. Je trilde door

het gewicht van de bloesem, zelfs je botten stonden van binnen in bloei, je wezen was als een moderne expositie van installaties.

Het lichaam sneed de ruimte uit met de traagheid waarmee wolken de zon bedekken.

De dag ontvouwde zich als een bloem, de seks zorgde voor de fotosynthese 's nachts.

Zijn sperma doet het graan ontkiemen.

Hou van hem, houd hem aan je zij, voed hem!

Allebei in het stenen tijdperk.

En het kind komt ter wereld en de zon blijft aan de hemel staan, dag en nacht.

Eerst valt het lichaam, niet de geest.

De echtscheiding heeft je veranderd in een uitgemergelde kat die over de daken loopt. Je kijkt in de huizen van de mensen, van binnenuit worden er gebaren naar je gemaakt, sommigen met wat meer lef doen het raam open om je binnen te laten.

Niet naar binnen gaan! In het leven van de mensen ga je naar binnen via de deur.

Ik heb nooit een persoonlijke geschiedenis gehad. Niets wat me identificeert.

Toen ik samen met mijn nichtjes in de rij stond voor brood, nu dertig jaar geleden, vroegen de vrouwen die in onze buurt stonden: 'Is dat nou dat kind dat wordt geslagen door haar moeder?'

'Nee,' zeiden de andere, 'ik geloof het niet', terwijl ze naar mijn nichtje keken. 'Het is die andere.' En ze wezen nu met hun vinger naar mij.

Daarna heeft het Internaat me helemaal gedesidentificeerd.

Ik telde niet meer mee voor Kerstmis, Nieuwjaar of Pasen.

Met mijn verjaardag was ik in het Internaat.

Soms kreeg ik met Kerst het cadeau voor mijn verjaardag: in een plastic zakje een tube tandpasta en een onderbroek.

Dus mama deed op haar manier haar best.

Verder verwonder ik me er nog steeds over dat ik de jaren van mijn studententijd heb overleefd, toen ik meer honger heb geleden dan in de jaren voor de Revolutie.

Niemand vroeg me of ik te eten had, wel of ik goed studeerde. Dus ik leerde als compensatie voor de honger, voor mijn neven en tantes, voor de familiebijeenkomsten.

Met mama bel ik nooit langer dan een minuut, maar ik vraag altijd: 'Heeft er iemand naar me gevraagd?'

Ik vraag het zonder moed, alsof ik geld te leen vraag.

'Wacht, laat me even denken ...' zegt mama iedere keer.

'Je oude juffrouw informeerde naar je. Ik zag haar vorige week bij de bushalte.'

Ik ben vergeten.

Waarom vergeet ik zelf niet de consistentie van het stof op de ongeasfalteerde weggetjes, het onkruid in de greppels en de rozen die zich verheffen tot onder ramen van de huizen?

Misschien is daar mijn persoonlijke geschiedenis geëindigd: toen mijn neven, ooms en tantes, mama en papa me niet meer meerekenden.

'Zij die is vertrokken, is vertrokken, voor altijd.'

Ik ben bijna veertig en toch jammer ik nog steeds om het stof op de weggetjes.

Waarom kan ik niets vergeten?

Omdat ik toen met de intensiteit van de eerste christenen geloofde dat alles mogelijk is en zal zijn, dat de wereld niet zonder mij kan en zal kunnen.

Waarom was het een magische tijd?

Omdat hij in zich de toekomst herbergde, enorm, intact en prachtig, precies zoals het (niet) zou zijn.

Omdat hij mijn reusachtige fantasie combineerde met de weinige gegevens die ik uit de realiteit had.

*Ik liep met de mensen mee en daar stond iemand op me te wachten.*

'Ik was bang dat je niet zo lang zou worden, Eva', zei ik tegen je.

'O, ik ben altijd verliefd op je geweest, Eva.'

Zowel ik als je vader.

We keken 's avonds naar jou, toen je een baby was en in je bedje in slaap viel en daarna keken we naar elkaar. We zeiden niets, we waren zo verliefd op jou!

We hadden allebei begrepen dat we vóór jou geen van beiden iets hadden gehad.

De uitdrukking 'we nemen een kind' zal ik nooit kunnen gebruiken, want zo was het niet: je bent gekomen en hebt alles veranderd.

Toen ik in het ziekenhuis lag voor de bevalling, had ik weeën, het deed niet erg pijn, ik was al zover gekomen, de Heer had me nooit eerder zo comfortabel in Zijn hand gehouden, mijn telefoon ging over: iemand van een literair tijdschrift vroeg me waarom ik niets meer naar hen stuurde.

'Omdat ik moet bevallen.'

'Wanneer?'

'Nu!' antwoordde ik en ik lachte erbij, het was een perfect antwoord, alleen jouw geboorte kon mijn zwijgen rechtvaardigen.

Binnen een straal van duizenden kilometers omarmen moeders op dit tijdstip hun kinderen.

Sommigen nemen hen stevig in de armen om hen in duizenden stukjes liefde te breken, anderen geven een klein kusje op de wang, alsof je een bloem in je haar doet.

Anderen, verspreid als hydrogenium in het Universum, sturen nog licht, of we het nu zien of niet.

Het Heelal is vol liefde. En Pijn.

Al zo veel jaren lang kijk ik in jouw ogen, Eva, ogen die van de mij onbekende familie van jouw vader komen, van een van de grootvaders van jouw opa.

Omdat ze geen zwarte bergen in de verte hadden, maar wateren en luchten, namen de ogen van de mensen toen de magische en veranderlijke kleur van de luchten en wateren aan.

Binnen een straal van duizenden kilometers lopen op dit tijdstip de suïcidalen het station uit, ze lopen veel verdiepingen naar boven tot aan de ramen die van binnenuit opengaan.

Ik ben niet een van hen. Ik ben niet een van hen.

Ik weet niet wat papa op dit tijdstip doet, op 3.000 km afstand.

Hij zegt tegen mama, een beetje door zijn neus pratend: 'Ik ga even een half uurtje liggen, want mijn botten doen pijn.'

Mama geeft geen commentaar, het is bijna middag, ze zal het nieuwste nummer van *Formula As* lezen en een kopje koffie drinken. Het leven is een heerlijk arrangement, jammer dat we met de botten blijven opgescheept.

Of misschien bestáát geen van hen allen meer en ook die heerlijke middagen niet meer waarop je die lucht kon zien, gemaakt van diamanten ...

*Ik liep met de mensen mee en daar stond iemand op me te wachten.*

Eva, kom, dan gaan we thuis lekker wat gezonds klaarmaken.

# Lori

I

*Mijn naam is Lori.* Dat zal ik zeggen tegen de politie.
Ik kom uit Roemenië. Zes jaar in Nederland.
Een ID heb ik niet. Had ik maar een ID! Dan was ik vertrokken nog voordat hij met zijn hoofd tegen de radiator kwam.
Paspoort?!
Gaan jullie me ook vragen hoelang mijn moeder mij de borst heeft gegeven?
Ik heb geen paspoort meer. Gestolen.
Hoezo gestolen?
Of ik aangifte heb gedaan bij de politie?
Kon ik maar aangifte doen.

Mijn dochter was dertien toen ik scheidde van haar vader.
Ik kreeg wat geld (mijn deel van het huis dat tijdens het huwelijk was gebouwd had ik verkocht aan mijn ex-man, zodat onze dochter er kon blijven wonen) en vertrok naar België, waar mijn neefjes een handeltje dreven. Ze kochten tweede-

hands auto's, die ze vervolgens in Roemenië weer van de hand deden.

Na de Revolutie kon je werkelijk geen betere handel bedenken, mijn neven waren een van de eersten die op Facebook foto's plaatsten waarop te zien was hoe ze letterlijk zwommen in het geld.

Nadat ik naar België was vertrokken werd in Roemenië een wet van kracht die bepaalde dat ingevoerde auto's niet ouder mochten zijn dan acht jaar. Ook moesten de foto's van Facebook verwijderd worden. Een idioot van een garagebedrijf had namelijk de politie gebeld, omdat een motornummer niet overeenkwam met het chassisnummer van de betreffende auto.

De Roemeense politie kon mijn neefjes echter niet traceren en zo werd hun casus een cold case, ongeveer op de manier zoals het ook met het communisme gebeurde.

In die tijd, zo'n beetje gelijktijdig met het wissen van die Facebookfoto's, arriveerde ik in Gent.

Er is me verteld dat ik de tieten van mijn moeder heb.

Als ik een kamer binnenkom, begroet je altijd eerst mijn tieten en daarna mij. Puur natuur zijn ze.

Symmetrisch, zo rond als twee galiameloenen, met tepels zo groot als het piemeltje van een driejarig kind.

De afgelopen jaren lijken de tepels nog gegroeid te zijn.

Een Engelsman die ik eens tegenkwam tijdens een weekend in Nederland, in Scheveningen, vertelde me dat ik niet naar de kapper of de schoonheidsspecialiste hoefde, dat mijn succes natuurlijk en gegarandeerd was. In plaats van een dure crème schonk hij me mijn eerste rode beha, zo een die mijn tepels vrij liet. Lang en knap was hij.

Met zijn telefoon maakte hij foto's van me en die stuurde hij naar Page Three.

Na dat weekend heb ik hem nooit meer gezien en ook mijn

tieten heb ik niet in *The Sun* gezien, maar wel op zijn Facebookpagina.

Een bericht heb ik hem nooit gestuurd. De anonieme beroemdheid van mijn tieten deerde me niet, ik had al begrepen wat voor vlees ik in de kuip had toen ik hem na ons tweede nummertje waarbij ik de touwtjes in handen had (*'I'm so glad you're not a dead frog in bed'* – zíjn woorden) over zijn bol wilde aaien. Ruw had hij toen zijn hoofd afgewend. Ik mocht hem niet hoger aanraken dan tot zijn hals.

In feite maakten we beiden deel uit van dezelfde categorie, van diegenen die zichzelf alleen geven vanaf de hals en daaronder.

Ik verwachtte niet dat hij tegen me zeggen zou: Ik ben jouw prins op het witte paard, ik zal van jou een echte Engelse lady maken, dit weekend gaan we trouwen en daarna jouw alcoholistische vader redden. En je dochter sturen we naar een kostschool en dan maken we een reis langs alle hotelkamers ter wereld.

Toen ik bij mijn neven in Gent woonde, gingen de zaken niet goed. Ze reisden steeds minder vaak naar Roemenië.

Wanneer ze erheen gingen, kwamen ze terug met andere gsm-nummers.

Elke twee maanden wisselden ze van nummer, vraag niet why, dat hoort bij de business. Maar blijkbaar was dat niet voldoende, ze begonnen ook hun namen te veranderen, na elke reis naar Roemenië (ze gingen niet meer allemaal tegelijk, maar een voor een).

*My cousin Vinny* (ik geef geen namen als we geen deal kunnen sluiten) had een bar, de parterre van een flat, niet groter dan een appartement, met vijf tafels.

Alleen bekenden kwamen binnen, vreemden niet, want de tafels waren altijd gereserveerd.

Soms kookte ik wat eten voor een klant, op z'n Roemeens.

Ik kookte met dezelfde lamlendigheid als waarmee ik voor mijn man kookte toen ik nog getrouwd was.

Eén keer legde ik, als variatie van 'op z'n Roemeens', mijn tieten op het bord van een lange slungel. Hij had wel wat weg van Jacques Brel (ooit had ik van mijn ex een boek over Brel gekregen – niet gelezen, maar wel de foto's bekeken).

Een hotel hebben de slungel en ik niet meer gehaald, maar wel de auto, op klaarlichte dag. Toen we terugkwamen in de bar, kreeg ik een paar rake klappen van mijn neef en schramde hij mijn tieten.

'De volgende keer zeg je het me eerst', zei hij.

Brel zweeg.

Hij ging aan een tafel zitten en vroeg of hij eindelijk wat kon eten.

Toen een van mijn neven, gesteund door de andere drie, op een avond zei dat het tijd werd dat ik mijn huur ging betalen, dacht ik dat het maar één ding kon betekenen.

Al spoedig bleek dat ik ernaast zat.

Ik moest me na sluitingstijd laten opsluiten in een Intratuin en wat op de kassa plakken (ik wist al wat: op een dag had ik, verstopt onder mijn kleren in de linnenkast, een plastic tasje gevonden met daarin een soort membranen, zo groot als een chocoladereep, en een paar dozijn Visacards.

Vervolgens moest ik me weer verstoppen tot de winkel openging.

'Ik kan niet tegen grote ruimtes, dan ga ik gillen.'

'Gil maar, niemand hoort je', lachte mijn neef.

'Ik zal flauwvallen', zei ik. 'Ik kan het niet, ik zal in mijn broek schijten van angst.'

'Stom klerewijf', zei mijn neef ontevreden. 'We zullen zien.'

In de weken die volgden werd er door niemand meer gerept over Intratuin.

Eenmaal moest ik een computer gaan brengen bij iemand in een dorp ergens in Nederland, ik morde niet en op de terugweg zette ik de muziek keihard. Rijden deed ik nog harder, alsof ik racete naar de toekomst, op naar een leuk leventje, dat ik nooit hebben zal.

Ik seinde met mijn koplampen naar een zwarte Alfa Romeo, een tweedeurs, een vent met een gave zwarte zonnebril.

Seinend spraken we af dat we elkaar zouden opwachten bij de eerste de beste parkeerplaats.

Hij kwam bij mij in de auto en we hebben geneukt zonder ook maar een woord te zeggen.

Nog geen 'hallo', nog geen 'Waar kom je vandaan?'

Toen hij bij me instapte had hij al een stijve.

Wat moest er verder gezegd worden?

Dat als ik meer dan de zesde op zijn lijstje was en hij op het mijne, we negenmaal meer kans hadden om keelkanker op te lopen? Dat had ik gelezen in een krant.

Ik zou hem niet eens herkennen tussen foto's van andere mannen, maar ik herinner me nog wel dat hij een riem droeg die paste bij zijn schoenen, een bruine riem, een fijn model met gaatjes.

Die zou ik herkennen uit duizenden.

My cousin Vinny gedroeg zich steeds meer als een gentleman tegenover mij, een rol die hem totaal niet paste en ik begreep waar hij op uit was toen hij me, op een dag, in mijn tieten kneep.

Met hem had ik, toen we kinderen waren, voor het eerst uitgeprobeerd wat nu waar precies in paste, maar toen was ik nog maar zeven jaar oud en hij acht.

Hij had zijn piemel ingesmeerd met Niveacrème, maar toch

boog die piemel als een gummetje vlak voordat hij naar binnen zou gaan. Nu had hij in Roemenië een vrouw en twee kinderen, hij had zojuist de naam van zijn vrouw aangenomen en zou binnenkort naar het doopfeest van zijn tweede kind gaan.

De hele familie kwam dan bij elkaar, dus ik zou ook kunnen gaan, na bijna twee jaar, maar ik had de moed niet.

Ik stuurde elke maand geld naar mijn dochter, eens in de paar maanden belde ik met mijn ex-man, een enkele keer werd ik gebeld door mijn ex-schoonmoeder, die me vertelde over mijn dochter. Maar ik had niet het lef om hen onder ogen te komen.

Ik wist dat mijn dochter soms huilde omdat ze me miste, ik wist dat ze al een vriendje had uit het dorp, een jongen die politieagent wilde worden, ik wist dat mijn schoonmoeder dagelijks voor haar kookte. En voor mijn ex.

Ik wist dat mijn dochter landbouwingenieur wilde worden, een jaar geleden in ieder geval nog wel.

Ik wist niet of ze 's maandags naar school ging met het haar in een staart gebonden of los over haar schouders hangend, ik wist niet of de kleine moedervlek op haar voetzool nog groeide.

De mensen in het dorp zeiden over haar: 'Dat kind dat in de steek is gelaten door haar moeder, die de wereld is ingetrokken'.

Zij was niet de eerste, ook ik was in de steek gelaten door mijn moeder. Ze was gestorven bij mijn geboorte. Ik was grootgebracht door mijn grootje, de moeder van vaders kant, net zoals mijn dochter.

Het is mijn kind en toen ze klein was, heb ik haar vreselijk geslagen, elke dag, alsof zij verantwoordelijk was voor alles wat misging in mijn leven.

De laatste keer dat we samen iets hebben gedaan, na de scheiding van haar vader, we waren gaan shoppen voor haar, zei ze lachend, toen we moe weer huiswaarts gingen: 'Weet je nog hoe hard je me sloeg?'

Ja, ik weet het nog.

Ik herinner me haar smalle rug, de witte huid met de rode striemen van de klappen.

Ik ben geen heldin, geen voorbeeldmoeder, ik ben een trut.

Ik zal gaan neuken voor geld en ik zal al het geld, elke cent, naar haar sturen.

'Je hebt een bewonderaar', zei mijn neef me op een avond.

'Een Nederlander, Ton, wil koffie met je gaan drinken. We doen zaken met hem. Auto's.' (Ik dacht dat de autohandel niet meer liep.)

'We hebben al een schuld bij hem (de autohandel liep inderdaad niet), dus vanavond moet je vooral je tieten laten spreken.'

Zoals ik een ruimte eerst met mijn tieten begroet, zo doet Ton dat met zijn buik.

Het idee om met iemand te neuken die eruitzag als een zwangere Afrikaanse olifant, stond me tegen.

En omdat hij niet tweeëntwintig maanden zwanger kon zijn, zoals een Afrikaanse olifant, kreeg je het idee dat in zijn buik een reusachtige tumor groeide die hij zevenmaal daags voedde met vlees.

Vlees vroeg hij ook op de avond dat zijn buik voor het eerst door de deur naar binnen kwam.

Gebraden vlees, zonder enige groente. Alleen vlees.

Aan zijn lippen als van een vrouw die de zeventig gepasseerd is, zag je dat hij niet alleen van gebraden vlees hield.

Ik wist van mijn neef dat Ton een garagebedrijf had en onroerend goed en dat mijn neef hem geld schuldig was. Geld dat hij niet bezat.

'Ik ga nog liever met papa naar bed', zei ik tegen mijn neef, waarop hij me zo'n lel gaf dat ik vanuit de kamer in de keuken belandde.

Als een torpedo.

Als in *The Matrix*.

'We zijn hem veel geld schuldig en Ton dreigt ons met de politie', siste mijn neef tussen zijn tanden en hij ritste zijn broek open.

Ton en de anderen waren in de bar, tien meter van ons vandaan.

Toen ik begon te spartelen verkocht mijn neef me nog een stomp: 'Rustig, joh, ik ga je echt niet kussen, je bent immers m'n nicht. Ik neuk je alleen.'

Die nacht ben ik met Ton naar Nederland vertrokken.

Onderweg zijn we een keer gestopt, omdat Ton moest pissen en een biefstuk eten bij een Van der Valk.

Aangekomen bij het huis van Ton, opende ik de tas die mijn neef me had gebracht en waarin ik, had hij gezegd, alles had wat ik nodig had.

Behalve dan mijn paspoort, dat heb ik nooit meer teruggezien.

## II

Wat is een huis?

Iets wat ik nooit heb gehad.

Het huis waarin mama bij mijn geboorte is gestorven, bestond niet meer.

Na haar dood zijn mijn vader en ik naar zijn moeder verhuisd.

Papa is niet lang bij ons gebleven, grootje zette hem buiten de deur, want hij piste in bed, zo dronken was hij.

Naast het huis waarin hij met mama had gewoond, heeft hij toen een barak gebouwd.

Soms ging ik hem 's avonds wat te eten brengen. Grootje stuurde me en ik wachtte dan tot hij het eten ophad, zodat ik de borden mee terug kon nemen.

Een enkele keer duurde het lang voordat hij met het eten klaar was en ik wist dat ik in mijn eentje terug moest, langs de honden die me vanuit hun tuinen belaagden.

De enige troost bestond erin dat de nachtlucht het parfum droeg van de rozenstruiken langs de weg, rozen in alle mogelijke kleuren, maar veel witte, want de witte waren het die zo'n aroma verspreidden. Mijn favoriete waren echter de gele, alsof ze uit een andere wereld afkomstig waren, delicaat en met een kleinere bloem, en de donkerrode, fluwelen, uit de boeketten waarvan ik bloemblaadjes trok die ik tussen mijn lippen hield om de zoetigheid eruit te zuigen.

De lege pannen, vies van de etensresten, bonkten in de zak, de honden sprongen nog feller op me af. Ik vluchtte, deed al het stof van het paadje opwaaien, dwars door het aroma dat me nog meer deed duizelen dan de angst.

Het huis van grootje bestond uit drie vertrekken: de ruimte waarin wij allebei sliepen, in een bed zonder lakens, maar wel met een enorme, altijd warme koeienhuid, zacht en heerlijk, waarin ik me wikkelde als ik menstruatiepijn of griep had.

In die kamer stond een tegelkachel. En daarin smeulde van 's ochtends tot in de avond een blok hout. Op de altijd warme kookplaat legde grootje haar in voetdoeken gewikkelde benen te warmen. Op dezelfde kookplaat bakte ze ook maïskolven of de polenta die was overgebleven van de voorgaande dag.

Om te kunnen eten aan de tafel gingen we op bed zitten, ook al stonden er naast de kachel twee identieke stoelen waarop nooit iemand zat.

Nadat we hadden gegeten, zette grootje de tv aan, glimlachend als een goochelaar die zijn trukendoos opent: 'Zo, laten we die oude botten van mij nog eens even rust geven', zei ze met een vleugje verwennerij in haar stem, waarna ze in een onmogelijke houding ging staan, met de ellebogen op tafel en haar kont omhoog, een positie die alleen voor háár oude lijf, gewend aan het zeulen met stapels hout op haar rug, rust betekende.

De verwennerij duurde tot er een film begon waarin geschoten werd.

Bij het eerste het beste schot rukte grootje haar ellebogen van tafel en wierp zich achterover: alsof de kogel uit de film haar zelf getroffen had.

Ze klapte haar ene handpalm op de andere en met een zekere minachting voor de idioot die zich had laten neerschieten, zei ze: 'Hij heeft hem vermoord, het is gedaan met hem ...' Boos begon ze van haar ene been op het andere te balanceren en zette daarna de tv uit. Ik heb nooit begrepen waarom ze dat deed, zoals ik meer dingen van haar niet begreep.

Een domme broedkip was op de eieren gestapt en had er twee waarin al kuikens zaten, gebroken. Grootje zat de hen achterna, de hele tuin door, schudde haar eens flink door elkaar en bracht haar toen terug om haar plicht als broedkip alsnog tot een goed einde te brengen. Het was zinloos, maar ze vond dat de kip het moest proberen.

Ze had een bijzondere relatie met wat waar was en niet waar. Alleen wat ze met haar eigen ogen zag, nam ze voor waar aan.

Wie bij haar op bezoek kwam, bestookte ze met haar waarheden.

Een oom die portier was geweest bij een van de meest luxe hotels in een toeristisch stadje aan de voet van de bergen, had haar, toen zij nog een meisje was, gezegd dat ze een goede dienstmeid zou kunnen worden in huis bij iemand uit de stad. Dat die droom vervuld zou worden heeft grootje met zich meegedragen tot aan haar graf.

Van al het kwade dat door mensen was aangericht, wilde ze niets weten.

Toen ik hoorde dat op een plek waar geen huizen stonden, een meisje dood was gevonden onder een takkenbos, was dat volgens grootje niet waar.

Zelfs toen de politie de moordenaar had gevonden, was het niet waar.

Evenmin wilde ze geloven dat een van haar schoondochters bijna dood was gegaan door een clandestiene abortus – zij had een giftige plant 'daar' naar binnen gewerkt en was bijna met bloedvergiftiging weggebracht om de foetus uit haar buik te laten halen.

Het was niet waar!

Ik zou willen dat ik naar mezelf kon kijken – zoals ik ben – en tegen mezelf kon zeggen, net als grootje: het is niet waar.

De andere twee kamers in grootjes huis gebruikten we haast nooit. In een ervan had ze een fornuis waarop nooit gekookt werd. Het zat vol uien die uit de grond gehaald waren en daar droog bewaard werden.

De andere kamer was de kamer waarin de priester werd ontvangen wanneer hij op bezoek kwam, twee keer per jaar: met Pasen en Kerst. Grootje gaf hem twee glazen pruimenjenever en de pope sproeide met zijn kwast het wijwater op ons en op de muren.

In dezelfde kamer bewaarde grootje ook haar dusters: ze had geen jurken, maar dusters. Toen ik klein was, waren die dusters rood, blauw en groen; mettertijd waren ze vervangen door zwarte en bruine exemplaren. Veel daarvan heeft ze nooit gedragen: vrouwen kochten ochtendjassen om ermee naar het ziekenhuis gebracht te worden. Waar gingen zij anders heen wanneer ze van huis gingen? Het waren dus, zogezegd, een soort ziekenhuisjaponnen.

Toen ze van een hooiberg viel en niet meer overeind kwam, werd grootje naar het ziekenhuis gebracht in de kleren waarmee ze buiten aan het werk was geweest: in haar broek met die enorme gaten bij de knieën en een vijf maten te grote blouse, waarvan ze de mouwen had opgestroopt om er niet door gehinderd te worden in haar bezigheden.

Kort na middernacht waren we in Nederland, bij het huis van Ton.

Ik kon in het donker zien dat het huis een voortuin had.

Pas de volgende ochtend zag ik dat de voortuin vol sneeuwklokjes stond, een kleine weide vol sneeuwklokjes.

De achtertuin was onverzorgd, geen bloem of plant, kale grond.

Om in de voortuin te komen, moest je een hek openen dat precies op dezelfde manier afgesloten werd als de poort van grootje: wanneer je een soort grendel oplichtte, opende de poort zich vanzelf, naar binnen toe, want de grond helde af.

Ik dronk met Ton een kopje koffie buiten, we zaten op twee stoelen die uit het huis waren gehaald.

Het was vooral fris, eind maart, maar Ton wilde mijn komst vieren: 'Bij mij is nog nooit een vrouw binnen geweest. Jij bent de eerste, geloof me.'

Het was helemaal niet moeilijk te geloven.

Een open keuken, wat van iemand die dagelijks vlees braadde niet zo'n bijster slim idee leek – het huis rook zoals bij ons de kelders roken nadat het varken was geslacht en het vlees, in het vet, ter bewaring was opgeborgen.

Mooi meubilair, maar wel oud, zwaar. In een vitrine rijen verleidingen met lange hals, voor de helft gevuld met allerlei likeuren, zoals ik in *Dallas* Sue Ellen had zien drinken.

Op de bovenverdieping nog eens drie kamers en een kleine badkamer. Direct achter de badkamer lag de kamer van Ton, de grootste van de drie, daarna volgde de kamer die de mijne zou worden en nog een kamer, die mij van begin af aan een geheime voldoening schonk: de kamer waarin ik de was streek, op een bij Ikea gekochte plank.

Wanneer ik daar aan het strijken was, elke zondagmiddag, nadat ik uitgebreid in bad geweest was, voelde ik me net een van die Amerikaanse vrouwen uit de film, uit zo'n voorstad. Die illusie werd alleen verstoord door Tons gestommel op de trap naar boven en zijn verschijning als een zwaarlijvige, dronken kerstman, stinkend naar aangebrande, ranzige olie.

Ton had een vrouw en een zoon gehad. Hij was gescheiden en had zijn vrouw driekwart van zijn vermogen gegeven. Zijn zoon was tien jaar oud ten tijde van de scheiding, nu was hij de dertig gepasseerd en als Ton zijn eigen zoon op straat zou zijn tegengekomen, had hij hem onmogelijk herkend.

Hij wist niet of hij kleinkinderen had, of zijn zoon getrouwd was en ook niet of zijn ex-vrouw nog wel leefde. Hij had een broer die hij voor het laatst gezien had toen zijn ouders waren omgekomen bij een auto-ongeluk tijdens hun vakantie op de Caraïbische eilanden. Na de begrafenis hadden ze ruziegemaakt over de erfenis en sindsdien hadden ze geen contact meer gehad.

Wanneer we naar het centrum van Den Haag gingen, wees Ton me vanuit de auto op gebouwen die ooit van hem waren geweest – vooral eentje vond ik mooi: op de begane grond werden schilderijen tentoongesteld en tussen alle schilderijen herkende ik een portret van Stallone met zijn scheve mond.

Wanneer ik roerloos in bed lag, naakt, met mijn benen gespreid en Ton begon te smakken, sloot ik mijn ogen en stelde me voor dat Rambo daar tussen mijn benen zat en zei: *'Stop!*

*Or my mom will shoot!'* Uiteindelijk had ik er vrede mee dat Ton deed wat hij deed – ik sloot dan mijn ogen en zei in het Roemeens, iets wat hem geweldig prikkelde: *pula pula pula* – liever dan dat hij tot tussen mijn tieten kroop en ik zijn paarse, oude lippen over me naar boven zag kruipen, tot onder mijn kin.

'O', kreunde Ton en zijn aderen zwollen in zijn hals en op zijn slapen: 'Ik haat pannenkoeken, ik haat pannenkoeken.' Hij legde me het uit en zijn ogen schitterden alsof hij me net had verklaard waarom Einstein verdomme zo beroemd was. Want dat had ik nooit begrepen, niemand had me dat ooit duidelijk kunnen maken, zelfs de advocaat niet die ik met Ton bezocht omdat de verzekering niet wilde betalen toen bleek dat de auto die Ton me had gegeven, onverzekerd was, en die op de muur een poster had met Einstein op een fiets.

Ton vertelde me met een zekere humor dat zijn vrouw pannenkoeken had. Zij was plat en ik had wel ... 'Turkse meloenen', hielp ik hem een handje.

'Waarom Turkse?'

'Omdat jullie meloenen in kassen groeien, zultkop, zonder zon, ze hebben geen smaak en hun binnenste smelt als boter voor de zon, terwijl de bast van Turkse meloenen nog het licht van de zon weerspiegelt die ze heeft gerijpt. En ze hebben smaak.'

De eerste maanden kreeg Ton hem nooit overeind en hij zei dat dat door mij kwam, want hij was zo opgewonden dat hij geen spier meer kon verroeren. Zijn verlangen was te groot.

Ik deed alsof ik het geloofde en trok hem af, zo hard ik kon. Het was net als toen ik als kind wol in het beekje aan het wassen was, bij het wassen slonk het volume waardoor je van twee handenvol er maar een overhield.

Tijdens een ruzie liet ik me ontvallen wat ik eigenlijk vond van dit wolwassen en hij nam maatregelen.

Hij liet zich drie dagen opnemen in het ziekenhuis (de mooiste dagen hier, in huis, in mijn eentje, het hele huis voor mij alleen).

Twee elastische ringetjes werden om zijn penis geschoven en die werden verbonden met een kleine monitor, die met een soort klittenband aan zijn bovenbeen was bevestigd. Tien uur lang mocht hij zijn bed niet uit.

Dit alles om de dokter te kunnen laten beoordelen of Ton nu wel of geen ongecontroleerde erecties had.

Om het onderzoek van waarde te laten zijn moest hij drie nachten in het ziekenhuis blijven, maar de derde dag, tegen de middag, trof ik hem thuis aan.

Drie dagen met twee ringen om zijn lul had hij nog kunnen volhouden, maar drie dagen zonder zijn vertrouwde maaltijden niet.

Hij zou wel een oplossing vinden, die ringen waren sowieso nergens goed voor.

Drie weken later, op een avond, bracht hij, nadat hij zich kennelijk wat moed had ingedronken, de oplossing mee.

Een apparaat zoals ik een keer bij een tante had gezien en dat werd gebruikt om de naaimachine mee te smeren.

Dat van mijn tante had geen klemring, dat van Ton wel.

Dat van mijn tante had geen naam, dat van Ton wel: vacumpomp.

Mijn tante had die van haar gratis bij de machine gekregen, die van Ton kostte niet meer en niet minder dan 458 euro.

Na een keertje oefenen werd Ton een heel tevreden man. Het bloed werd zijn penis ingezogen en de erectie was een feit.

'Had ik 'm maar tien jaar geleden gekocht', bekende hij. Het probleempje had dus niets met mijn komst te maken.

Ton was tevreden.

Ik was tevreden.

Ik was tevreden.

Was ik tevreden?

Ja, Ton was zo blij met zijn 'peniskoker' (zijn woorden) dat hij voor mij een horloge van witgoud kocht, dat ik in een etalage in het centrum had gezien.

Vorig jaar heb ik het horloge vergeten in een wc bij een benzinestation langs de snelweg na een sekspartij met een zwarte Mercedes.

De dag erop was ik wezen klagen, maar ja, niemand zegt: 'Joh, kijk eens wat iemand in de wc heeft achtergelaten, zullen we de eigenaar proberen te vinden?'

Maar toen was ik tevreden.

Ieder weekend ging ik met Ton shoppen in het centrum.

Overal vrouwen die kleren pasten en mannen die betaalden.

Ja, ik was zeker tevreden.

## III

Ton ging elke dag van de week naar zijn garage, waar hij hoegenaamd niets deed.

Als ik bij hem ging kijken, bood hij me grijnzend koffie aan en daarna (vooral als er iemand in de buurt was tegen wie Ton kon pochen dat hij de gelukkige bezitter van mijn tieten was) gaf hij me wat geld om vlees te kopen voor 's avonds.

Ik kocht altijd vlees dat in de aanbieding was, zodat ik aan het eind van de maand wat geld kon sturen voor nieuwe schoenen voor mijn dochter of voor haar tandarts.

Op een dag kreeg ik een sms'je vanuit de andere wereld.

'Gefeliciteerd met je huwelijk.

Vergeet je vader niet.

Nikolai'

Ten eerste geloofde ik niet dat mijn vader een mobieltje had en bovendien heette hij ook geen Nikolai, maar Nicolae; ik moest lachen omdat hij het kennelijk nodig had geacht om zijn eigen naam aan te passen aan het Westen, waar zijn dochter rijk geworden was. Omdat zijn enige kennis van het buitenland op communistische Russische leest geschoeid was, had Nicolae zich getransformeerd in Nikolai.

Ik heb hem niet terug ge-sms't, maar een maand later stuurde ik mijn dochter twintig euro extra.

Voor hem.

Ik was al een stuk minder geschokt toen ik nog een sms kreeg: 'En wanneer leer ik mijn schoonzoon kennen?'

Ik beeldde me in hoe het zou zijn als ik Ton zou meenemen om kennis met hem te laten maken. Ton was zevenenzestig en papa nog net geen zestig.

'Wat voor geschenk zullen we voor schoonvader meenemen?' zou Ton vragen en ik zou antwoorden: 'Nog een pompje, want van zo veel alcohol krijgt hij 'm vast niet meer overeind.'

Ik ben in de badkamer, ik sta lang onder de douche.

Ton is in de garage, boos vertrokken omdat ik hem niet op de mond wilde kussen.

Niet 's morgens vroeg, klotekadaver!

Vanavond zal ik het goedmaken met een enorme barbecue.

Ik hoor de buitendeur, ik heb zeep in mijn ogen en mijn ogen prikken, als ik ze opendoe is het alsof het daglicht duister wordt. Ton staat voor me, met de pomp in zijn hand en zijn onderbroek op z'n knieën.

Als ik hem zou duwen, zou hij achterovervallen, de trap af.

'Ton!' schreeuw ik naar hem zoals een onderwijzeres schreeuwt op school, maar Ton heeft de leeftijd dat hij naar geen enkele onderwijzeres meer luistert.

Hij duwt me naar binnen in de badkamer en dwingt me op handen en voeten.

Zijn lippen smakken als een varken, verdomd varken, schreeuw ik in het Roemeens.

'Zo, zo, wat hou ik van vieze woorden in het Roemeens, zo zo', verslikt het varken zich.

Het is geen pretje om in je kont geneukt te worden, ik heb het nooit lekker gevonden.

Ton is gestopt met smakken.

'Ik ga wat vlees braden', zegt hij en hij gromt nog een keer 'hmmm hmmm'.

Dan gaat hij naar beneden.

Gekletter van koekenpannen.

Ik wacht tot het sperma uit mijn reet gedruppeld is.

Ik probeer te poepen, zodat het er sneller uit komt, maar ik voel geen aandrang.

'Muie luistere', roept Ton van beneden.

'Lori, muie luistere ...'

Het gevoel dat ik mezelf heb verloren.

Het gevoel dat ik niet dieper kan vallen.

Tegelijkertijd wil ik schreeuwen naar de wereld.

'Fuck you allemaal!

Ik ben niet dood tenminste.'

Ik loop Ton voorbij zonder hem een blik waardig te keuren.

De auto in, de snelweg naar Roemenië, ook al haal ik het nooit.

Beter gevoel.

Hetzelfde spel met de knipperlichten.

Wauw, die Mercedes!

Donkere ogen, donkere huid.

Een van ons, man, een van ons!

Daarna wilde hij mijn telefoonnummer hebben.

Donder op, ventje van twintig,
donder op!
Waar kan een vrouw vlees met salmonella kopen?

Het enige wat ik mijn ex-man in onze relatie kan verwijten, vind ik achteraf, was zijn passiviteit.

Hoe meer ik me druk maakte om het samen goed te hebben, des te minder deed hij mee.

Hij ging niet vreemd, had hij het maar gedaan! Dat was een teken voor mij geweest dat er nog leven in hem was.

Hij was violist, hij speelde bij doopfeesten, bruiloften en partijen.

Het geld dat hij verdiende was nooit genoeg, maar we kwamen niet om van de honger.

Na de Revolutie vermenigvuldigden de violisten zich als kevers in de lente.

Hij was een goed violist, twee dagen en twee nachten speelde hij zonder ook maar eenmaal dezelfde melodie te herhalen, de mensen vergaten gewoon dat het een doopfeest was. Het was een concert. Alleen wilden de feestgangers altijd de bankbiljetten op zijn voorhoofd plakken, uitgerekend bij hem, die het nooit had kunnen verdragen als iemand ook maar zijn wang beroerde. De eerste tongzoen in zijn leven had hij gekregen toen we onze dochter verwekten, in de auto.

Had hij aan het begin van zijn loopbaan voor het uitkiezen naar welk feest hij ging, in het tweede jaar na de Revolutie kreeg hij nog maar ternauwernood veertien rekeningen geïnd. Inmiddels stonden we enorm in het krijt bij m'n schoonmoe. En dus had maar ik een baantje genomen, bij een benzinepomp, in de nacht.

Ik verdiende niet slecht en kreeg altijd de vetste fooi.

Niet ik, maar mijn tieten.

Als je 's ochtends om een uur of vier, vijf naar de benzinepomp komt en je eerste aanblik bestaat uit een paar tieten in volle glorie, ja, daar heb je wel iets voor over.

We begonnen in te lopen op onze schulden, maar hij werd steeds afstandelijker. Als ik de minuten dat we in twee jaar met elkaar gesproken hebben zou optellen, en ik begin halverwege de avond, denk ik niet dat ik verder kom dan twaalf uur 's nachts.

Op een nacht wilde ik een klootzak die de laatste maanden te vaak een volle tank kwam halen, voor de tiende keer uitleggen dat ik niet van plan was met hem het bed te delen en ik stapte in zijn zilverkleurige Mazda, in die dagen nog een zeldzaamheid in Roemenië, om uitgebreid te kunnen praten. Het was zes uur 's ochtends, mijn dienst zat erop.

Besnord, arrogant, zijn nagels verzorgd, zelfs wanneer hij niets zei, praatte hij voortdurend.

Ik vond het lekker dat hij me zoende, maar meer hoefde ik niet.

En toch weet ik niet of het verkrachting was.

Ik heb het nooit aan iemand verteld, en zeker niet aan mijn ex-man, hij zou zeker een week lang hebben moeten kotsen en zou zelfs nooit meer naar me hebben gekéken.

'Ik heb me gewassen en het is voorbij', zei ooit een vriendin tegen me die naar bed was geweest met de broer van haar man.

Ik heb me daarna een week lang niet gewassen. En het smerige gevoel is nooit meer overgegaan.

Toen moet het begonnen zijn. Het einde.

Want nog geen maand daarna ben ik naar bed gegaan omdat ik het wilde, toen ik ongesteld was – want tijdens mijn menstruatie denk ik alleen met mijn kut – met de eerste zwarte Mercedes.

Toen heb ik ook de scheiding aangevraagd.

Mijn man is in het huis blijven wonen, met mijn dochter.

Ik heb hem mijn deel van het huis verkocht en ben vertrokken naar België.

Ik heb nooit iets gestolen in Roemenië.

Jawel, bloemen uit de tuin van een tante, toen ik een meisje van acht of negen was.

Pioenrozen. Ik zag ze toen ik eten ging brengen bij mijn vader.

Ze waren zo groot, zo mooi en het waren er zo veel.

Ik zag niemand in de tuin, niemand bij de ramen, ik plukte er drie en vluchtte huppelend weg, alsof de drie pioenen slechts door toeval in mijn handen waren beland en ik ze, omdat ze noch bijzonder lelijk noch bijzonder zwaar waren, maar toestemming had gegeven om met me mee te gaan.

Na ongeveer een week vertelde mijn tante aan grootje dat ik pioenen had gepikt en dat ik dus geen haar beter was dan haar eigen kinderen, die een keer de portemonnee met al haar geld erin van grootje hadden gestolen, die zij onder de koeienhuid op bed verborgen hield.

Grootje werd boos en zei nogal dubbelzinnig: 'Laat de dag van morgen uitmaken wie de echte dief is.'

Waarschijnlijk alle drie: de twee zoontjes van mijn tante en ik.

Kortom: voor mij telt het pikken van de pioenrozen niet mee.

Dus de eerste echte keer was toen ik een mantel stal.

Om precies te zijn: de mantel van een trut in een kledingzaak die me ironisch had gevraagd of ik het me wel kon veroorloven toen ik een leren met wol afgezette en via een veiligheidssysteem – een ketting met hangslot – aan het rek vastzittend jack wilde passen.

Anders maakte ze het jack niet los van de standaard.

Ik woonde nog bij mijn neven toen en ik had, inderdaad,

nooit meer dan twintig euro op zak.

En die twintig euro was bedoeld om naar Roemenië te sturen.

In de winkel was het druk en ik had het gevoel dat iedereen had gehoord wat die trut me had gevraagd.

Ik had iets willen uitbrengen – dat de klant toch koning is – maar ik stotterde van schaamte, ik voelde dat ik zelfs mijn voeten niet van hun plaats zou kunnen krijgen, alleen mijn torso bewoog.

Zij draaide zich gracieus op haar hielen om, met het air dat ze geen antwoord verwachtte op de vraag en zelfs als het antwoord ja geweest zou zijn, ze dat rotslot toch niet losgemaakt zou hebben en ze liep weg.

Met een bonkend hart strekte ik mijn arm uit en zag in de spiegel tegenover me een mysterieuze glimlach op mijn gezicht, als van de Mona Lisa. Ik pakte een mantel in mijn maat die niet met een ketting en hangslot vastzat en trok hem aan, over mijn dunne jack, hij was wat krap bij mijn tieten, maar dat deerde niet. Zacht scheurde ik het etiket los – dat ging verschrikkelijk makkelijk – en ik liep op de deur af zonder ook maar iemand aan te kijken. Zo verliet ik de winkel.

Ik deed de jas uit en twee straten verderop gooide ik hem in een vuilcontainer. Toen was het zo makkelijk, toen ze nog niet van die clips aan de kleding bevestigden.

Nu steel ik lingerie, kleren, tandenborstels, eten uit de Albert Heijn, make-up.

In alle soorten en maten en ik stuur alles naar Roemenië.

Wanneer ik wroeging krijg, zeg ik tegen mezelf dat iedereen jat.

Tijdens mijn eerste jaren hier, dagdroomde ik soms dat ik een goed betaalde baan zou vinden, dat ik een zwarte Mercedes zou kopen en supergave jarenveertigkousen met een streepje aan de achterkant van het been, die ik een keer zou dragen en dan naar Roemenië zou sturen, en een huis.

Een huis met een tuin waar ik bloemen in zou planten.

En ik zou mijn dochter hierheen halen zodra ze achttien wordt, ze zou trouwen met een Nederlander met blauwe ogen en rood haar en ik zou hun kinderen grootbrengen.

En in mezelf herhaalde ik het gedichtje dat ik had geleerd van grootje, die het kende van haar moeder die het op haar beurt weer van háár moeder had die haar hele leven dienstmeisje was geweest in het huis van andere mensen en in haar hoofd gedichtjes maakte die ze voordroeg aan anderen en waarvan ze dan steeds de verzen veranderde en zo kwam zo'n gedichtje nooit af, maar dan begon zij alweer aan een nieuw rijmpje vanwege een of ander misnoegen, want, ja, misnoegens lieten nooit lang op zich wachten.

Grootje herinnerde zich van al die door haar grootmoeder in het hoofd geschreven rijmpjes er eentje dat zo begon:

Hé, juffer, wat 'k je zeggen wou:
Ik kom niet meer naar jou.
Thuis blijf ik voortaan,
En dáár slacht ik de haan.
De schoorsteen veeg ik uit.
De koffie 's voor mij alleen.
'k Ben juffer in eigen huis!

Op school schreef ik ook lange verhalen, maar ik maakte te veel schrijffouten en daarom waren ze nooit goed.

De juf zei dat ik een mooie fantasie had en dat vond ik prachtig!

Wat zou ik daar allemaal mee kunnen?

Ik kon me niet laten inschrijven bij het gemeentehuis in de plaats waar ik woonde – want ik had geen paspoort en Ton had me na een schranspartij met vlees uit de vrieskast en een beetje vlees van mezelf beloofd dat hij met mijn neef zou praten over het teruggeven van mijn papieren.

Ik schreef me in bij een clandestiene school in een Turkse wijk en op een formulier moest ik mijn persoonsgegevens invullen.

Totaal willekeurig heb ik het ingevuld, niemand heeft ooit iets gecontroleerd.

Bij 'reden' waarom ik naar Nederland was gekomen zette ik een streep.

Ik zag dat het meisje naast me bij 'reden' 'love' schreef en ik dacht dat ze wel heel stom moest zijn.

Ze leek niet idioot, alleen veel te goed gekleed. Zo een die wordt verwend door het leven en haar man.

Thuis, bij Ton, had ik al woordjes geleerd:

rundvlees
varkensvlees
lamsvlees
gevogelte
bloedworst
paardenworst
kiprollade
gemarineerd
jodenhaas
kogelbiefstuk

Elke keer als hij me nieuwe woorden probeerde aan te leren, bereikte mijn afschuw een nieuw hoogtepunt.

'Lori, muie luistere ...'

'Loop naar de duivel!' zei ik in het Roemeens en ik vertelde hem dat dit bij ons 'welbedankt' betekende.

Toen hij klaagde dat het te duur was om naar Roemenië te bellen en hij dreigde de rekening niet meer te betalen, heb ik hem weten te overtuigen een computer voor me te kopen en een internetaansluiting te nemen.

Via het web kwam ik snel in contact met andere Roemenen. Velen die, net als ik, vertrokken waren en ook kinderen hadden in het thuisland, achtergelaten bij grootouders of onder de hoede van wie-wisten-zij-eigenlijk-ook-niet-meer-goed.

Uren achtereen bracht ik chattend door en ik was beter op de hoogte van wat er in Roemenië speelde dan degenen die er zelf woonden.

We wisselden de meest sinistere nieuwsberichten uit, over kinderen die zelfmoord pleegden door het gemis van hun ouders, die in het buitenland waren om geld te verdienen, of misbruikt en depressief in internaten belandden.

Roemenië was slechter dan Somalië, daar waren we het allemaal over eens.

Ik installeerde ook een webcam en mijn dochter deed hetzelfde.

We praatten elke dag en ze toonde me de korte rokjes die ze had gekocht van het door mij gestuurde geld en haar haar, dat ze, ondanks mijn verbod van 3.000 km afstand, eenmaal per maand verfde in een andere kleur.

Ze begon steeds meer op mij te lijken, iets wat me af en toe een gevoel van paniek gaf.

Toen ze een week lang niet op de webcam kwam, wist ik hoe laat het was.

Ik belde haar en dwong haar de waarheid te vertellen. Waar, met wie en wanneer, om vervolgens te horen dat ze het, net als ik, de eerste keer gedaan had in de auto van haar vriend.

Zo was ik zwanger geraakt, zij zei dat ze veilig had gevreeën.

Ik feliciteerde haar omdat ze een voorbehoedsmiddel had gebruikt en zei dat ik hoopte dat ze dat bleef doen.

Maar ik weet dat zij al dingen heeft gedaan waartoe ik pas na mijn scheiding in staat was.

Ik heb haar in de steek gelaten en ik kan haar lot op geen enkele wijze meer ombuigen.

Ik had altijd gedacht dat *op een dag* het leven zou beginnen.

Maar het leven zal nooit meer beginnen.

Waarom ik nooit een brief naar de politie gestuurd heb?

In het begin omdat ik niet in het Nederlands kon schrijven. Bovendien: wie zou me geloven?

Ik geloof mezelf niet eens.

Ze zouden me naar Roemenië gestuurd hebben, als ze erachter kwamen.

Waar had ik daar moeten wonen?

Grootje was er niet meer, in haar huis woonde nu een van de zoons van m'n tante met zijn zoveelste vrouw.

Bij papa?

Papa verwachtte alleen geld van mij, niet dat hij me zou zien.

Ton kocht elke week iets voor me.

Het leek hem voor de wind te gaan, ook al had ik nooit iemand in zijn garage gezien. Al die jaren geen enkele klant.

Auto's wel. Veel. Altijd andere auto's.

Hij verloor zijn interesse in de vacuümpomp, soms had hij geen flauw idee waar hij het ding gelaten had.

'Probeer je te herinneren waar je hem voor het laatst gebruikt hebt,' lachte ik hem uit, 'de dementie door vleesmisbruik begint.' Hij nam genoegen met een spelletje in de 'grotejongensspeeltuin', ofwel tussen mijn tieten, en hij had ook geleerd om 'nee' te accepteren wanneer ik nee zei. Dit nadat ik hem eens had gedreigd met een lege fles.

'Als je nog naar me toe durft te komen als ik nee zeg, sla ik met dit ding je kop verrot!'

Naar de kroeg ging ik niet. Sowieso duurt het te lang voordat je er opgemerkt wordt. En bovendien zijn er altijd jongere, knappere meisjes dan ik.

'Maar niet iedereen heeft jouw tieten', troostte een jongen me via de chat.

'Kleed je eens uit en laat me je tieten eens zien.'

Ik ging met hem een kamer in, virtueel, ik gaf hem mijn code en het was niet minder dan echt.

'De mijne is 30 cm.'

*'Oh, babe.'*

En toen hij klaarkwam, hoorde ik: 'Hoer! Hoer! Hoer!'

Misschien is het verwonderlijk, maar het was de eerste keer dat iemand zoiets tegen me zei.

Ik zei niets, trok mijn kleren weer aan.

'Mag ik je een keer bellen?'

Ik gaf niet gelijk antwoord.

Na de scheiding, wanneer ik 's avonds indutte of wanneer ik 's ochtends wakker werd, beefde ik hevig omdat het door mijn hoofd schoot dat die man van míj eigenlijk bestond en dat we samen een heerlijk gezinsleven hadden, hij was net de deur uit om iets op de post te doen.

De psychose duurde luttele seconden, hij bestond niet, alleen het verlangen maakte hem echt. Ik had de indruk dat hij nu riep: 'Hoer hoer hoer!'

'Je kunt me bellen', zei ik, en ik stuurde hem een fictief nummer.

De volgende dag gaf ik hem een 'forbidden' op het net en toen hij probeerde met een andere nickname in te loggen herkende ik hem en gaf ik hem weer 'reject'.

Hij was niet de enige die mijn tieten had willen zien, het is altijd dringen in de grotejongensspeeltuin.

Waar zijn hun vrouwen?

Bezig met de was, met de kinderen of met vreemdgaan.

Ik zit heel de dag op het net. Chatten.

Mijn elektronische box raakt vol met filmpjes.

Films zoals ik nog nooit heb gezien.

Charlie Chaplin met een stijve langer dan hemzelf.

Benny Hill aan het masturberen.

Dat van Benny Hill lijkt me niet eens zo moeilijk te geloven, maar naar Charlie Chaplin moet ik nog eens een keer goed kijken en ik voel me als toen op school, toen ik klein was en de juffrouw ons twee uur lang poëzie van Eminescu voorlas over een meisje dat 's nachts bezoek kreeg van een tovenaar en een mollige jongen met een groot hoofd zei dat Eminescu altijd dronken was en dus ook toen hij dat gedicht schreef.

Ik stond op en met mijn liniaal verkocht ik de dikzak een zwieper op z'n neus, een kwartier lang drupte er bloed uit zijn neus en de conclusie van de juffrouw was dat literatuur niet moest aanzetten tot geweld en vooral poëzie niet.

Om het goed te maken tussen ons, wat helemaal niet is gelukt, liet ze mij en de jongen met het grote hoofd een week lang naast elkaar in hetzelfde bankje zitten.

Jacques neukt Ivo.

Ivo neukt Marta.

Marta neukt Rod.

Rod houdt van Jules.

*Répétez, dit le maître.* Een Belgisch filmpje in beelden, een parodie op een tandpastareclame.

## IV

Ik denk aan mijn dierbaren die dood zijn: mama, grootje, tantes, de andere oma.

Ik schrik op.

De andere oma is immers nog niet dood, ze leeft nog.

Maar voor mij zijn ze allemaal dood, zoals ik dood ben voor hen.

Dood en begraven.

Soms beeld ik me de ochtenden in, hoe ze ontwaken, hoe ze met een genoegen dat hen vrolijk stemt hun koffie drinken die ze tot aan de Revolutie niet hadden gehad, hoe ze elkaar begroeten bij de poort.

Soms probeer ik me te herinneren hoe de kippen op het erf eruitzagen.

De ene scheel, de andere zonder veren aan haar kont, twee die erg op elkaar leken en die ik nooit uit elkaar kon houden en de haan die ik net zo vaak had geslagen als mijn dochter.

Omdat hij de hennen beet en het verdomde om ze te berijden.

Het hek had zeven palen. Soms tel ik ze in gedachten. Het was het lelijkste hek in het dorp, grootje had genoeg andere dingen aan haar hoofd dan het verven en repareren van het hek.

Twee poorten had het hek, een in het midden en een aan de zijkant. Die aan de zijkant ging niet meer open, hij zat klem en als je niet wist dat daar een poort was, zag je hem niet.

De andere stond eeuwig open.

Daar liep ik door naar binnen wanneer ik uit school kwam.

Grootje ging er haast nooit door naar buiten.

Iedereen die bij ons op bezoek kwam, gebruikte die poort.

Grootje zei tegen de koe: 'Maartsie (want zo heette de koe), je moet niet dikker worden, hoor, want ik ga de poort niet kapotzagen voor jou.'

En zo kwam het dat de koe, wanneer ze zwanger was, zijdelings naar binnen trad, om ruimte te maken voor de buik. Zoals een mens zou doen.

Wat zouden die lui op de chat om me gelachen hebben als ze me zo zouden horen praten: 'Yo! Jij met je grootje!'

We praten als op de televisie over 'echte hoeren'.
'Ik zou dat nooit kunnen doen.'
'Er zijn vrouwen die echte hoeren zijn.'
'Die weten hoe ze geld van hun mannen kunnen pakken.'
'Maar het zijn toch hun eigen mannen? Waarom zouden ze dan hoeren zijn?'
'Ik zou nooit kunnen liegen. Hoeren moeten veel liegen.'
Dat is Gina. Moldavische.
We moeten zo om haar lachen dat we het in onze broek doen.
'Yo! Alle vrouwen met of zonder trouwakte weten hoe ze hun mannen geld afhandig moeten maken. Dat zit hun in het bloed.'
'Dan zijn ze allemaal echte hoeren', zegt Gina, die geen hoer is, maar wel weet dat het huren van een kamer zestig euro kost en een penetratie vijftien.
'Allemaal verwachten we geld van de man, zelfs zij die werken en een salaris hebben dat lager is dan dat van hun man en waar ze niet genoeg aan hebben en die aan hun man om geld vragen of wachten tot ze het krijgen.'
We lachen allemaal – en ik kan me nauwelijks voorstellen dat we alleen met wijven in de 'kamer' zijn.
Dus: er zullen geen hoeren meer zijn als mannen en vrouwen evenveel verdienen.
Veel vrouwen op de chat benijden me.
Omdat Ton helemaal niet oud is – vijftig(!), omdat ik al een superauto van hem heb gekregen (dat is waar).
Omdat hij voor me koopt wat ik wil. En ik wil veel.
Omdat hij het huis op mijn naam zal zetten.
Omdat we over een paar jaar mijn dochter over laten komen.
Behalve de leeftijd, die doet er niet toe, klopt alles. Het zou in ieder geval waar kunnen worden.
Ik heb nog steeds mijn paspoort niet.

Ik begon elke ochtend met het lezen van Roemeense kranten.

'Lori, die alle roddels uit Roemenië nog wil weten', lachte Ton om me.

Als ik op internet zat, keek hij soms mee.

'Waar lees je nu over?' kon hij niet laten te vragen bij het zien van al die kutten van blote meisjes.

'"Als je een man voor altijd aan je wilt binden, moet je hem koffie geven die is gefilterd in een gedragen slipje"', lees ik voor, precies wat hij graag had willen horen.

Tons buik schudt.

'Vanaf nu drink ik alleen nog koffie in de garage.'

Wat ik verder lees is alleen voor mezelf.

Dat in de bossen van Moldavië recentelijk een wisent is gezien.

Alleen zijn bizons in dat gebied al tweehonderd jaar geleden verdwenen.

Ik haat het om vlees te ontdooien, het is alsof je een dode opgraaft.

Maar waarom zou ik vanavond geen schotel voor hem bereiden met drie soorten vlees – kip, varken en rund, met dille en champignons?

Ik zal kijken hoe Ton eet.

'Eten, Lori, eten, hadden jullie daar in Roemenië vlees? Haal je schade in!'

Eerst bibbert zijn buik, alsof iemand hem aan zijn schouders schudt.

'Maar muie luistere: hadden jullie daar scholen? Of kranten? Water uit de kraan?'

Nee, Ton, we dronken allemaal champagne.

'Lori, niet boos worden, we wisten hier niets over Roemenië.'

Nee, jullie gingen naar Suriname, voor een Hollander is Europa niet ver genoeg.
Zorg godverdomme dat ik mijn paspoort terugkrijg.

Ik eet Chinees, alleen, koud, met mijn handen.
De dozen uit de koelkast.
Babi pangang in aspic.
Ik pak het vlees met twee vingers.
Ik stop het in mijn mond.
In de gevangenis kun je geen Chinees eten.
Of is de gevangenis hier misschien net een ziekenhuis?
Ik zal daar van alles bestellen.
Maar ik eet alsof dit mijn laatste maaltijd op deze wereld is.
Ik heb altijd gedacht dat ik nog tijd zou hebben voor alles wat ik nog wil doen:

Mijn haar moet één kleur hebben,
de wratten van mijn kleine teentjes moeten eraf
en misschien een diploma halen.

Ik heb een keer een verwend Roemeens vrouwtje ontmoet bij de Nederlandse school, haar man bracht haar met de auto en kwam haar na een uur ook weer ophalen, mooie kleren, lang haar, ze zei me dat alles goed komt als je een diploma hebt.
Ze hoeft geen gelijk te hebben, maar ik kan het proberen.
En als het me niet lukt, stuur ik geld naar mijn dochter en zij zal zeker een diploma krijgen.
We zien elkaar niet.
Ik word nog steeds wakker met de vraag: waar is ze?
Ze is nu zelf vrouw en maakt dezelfde fouten.
'Zorg dat je ook klaarkomt', heb ik haar gezegd toen ik haar de vorige keer sprak.
Ze zei dat ze zich schaamde om zoiets aan mij te vertellen.

Maar dit is de enige kans om haar te vertellen dat ze moest zorgen dat ze gelukkig wordt.

Ik zou haar hebben willen zeggen dat als ze kapster wil worden, ze het vooral moet doen.

Dat ze niet moet blijven wachten en hopen, zoals ik.

Zoals mannen, zou ik haar willen vertellen, moeten ook wij klaarkomen.

Wij komen ook klaar.

Koop seksspeeltjes voor allebei, dat zorgt voor gelijke rechten, in bed tenminste.

Als je vrijt is het lichaam van de ander zo dicht bij je ogen dat daarmee het beeld weg is.

Zorg dat, als je aan het vrijen bent, je af en toe zijn ogen ziet: hou je van die ogen?

Pak anders je kleren en ren!

Dat zou ik nu willen doen: Ren, Lori, ren!

Ik kan niet zeggen dat het noodweer was, hoewel het, op een bepaalde manier, wel zo is sinds ik hier gekomen ben.

Gisteravond legde ik zijn gestreken overhemden in de kast en onder een stapel kleren voelde ik iets van papier, ik moest glimlachen, omdat ik dacht dat het geld was.

Ik wist wel dat hij meer had dan hij me wilde zeggen.

Maar het waren brieven, aan mij gerichte brieven op het adres van de garage.

Ik ben nergens geregistreerd, ik heb geen medische verzekering, ik poets mijn tanden driemaal daags om geen gaatjes te krijgen, als persoon besta ik niet.

En toch krijg ik brieven.

Ik ging zitten om ze te lezen.

Nooit eerder in mijn leven had ik zo geconcentreerd gelezen en nooit eerder had ik zo snel iets begrepen.

Gelijk.

De garage en het huis staan op mijn naam!

Mijn tieten zwellen nog meer op, alsof de wind van het geluk erin blaast.

Vervolgens blijft het geluk steken in mijn keel.

Míjn bedrijf en míjn woning zullen worden doorzocht, maandag.

Getekend: FIOD.

Ik heb tweedehandsauto's gekocht middels een krediet dat was aangegaan op andermans naam.

Na vijf brieven had ik nog meer begrepen, namelijk wat Ton bij een ruzie had willen zeggen met 'jij kent je familie niet eens'. Ik kennelijk niet, maar hij kende ze wel, hij was vier handen op een buik met die neven van mij.

Nu ik het weet, zal ik de politie bellen.

'Wat weet u precies?'

Dat mijn neven in Roemenië auto's verkochten die waren gestolen in België, Duitsland of Nederland. Ze incasseerden het geld en wachtten daarna af. Vervolgens stalen ze de auto's van de kersverse eigenaars terug, vervoerden ze naar Nederland en sloopten ze in de garage van Ton.

Nu vielen alle puzzelstukjes op hun plek: dat mijn neven een grote affiniteit hadden met BMW's, om precies te zijn: de BMW X5, bijvoorbeeld.

Waarom stelen dieven geen Rolls-Royces?

Maar ik snapte niet alles. Wat betekent BPM-fraude of FIOD?

Als in trance zoek ik op het internet. FIOD – opsporingsdienst van de belastingdienst.

Had ik niet altijd een huis gewild?

Nu had ik het, met een failliet verklaarde garage op de koop toe.

Dat had het leven mij toegedacht, daarvoor was ik gemaakt.

Ik zei het hardop in mezelf. En dat kalmeerde me.

Grootje zou trots op me zijn geweest als ze me zo had gehoord.

'Eindelijk heb ik alles door', zou ik tegen haar gezegd hebben: hoe Ton me had meegetroond naar de bank en tegen de medewerker had gezegd dat ik Nederlands verstond, hoe de medewerker in het Engels had gevraagd of dat waar was en hoe ik me had geschaamd om nee te zeggen.

Ik had onnozel naar de etalage van de bank gekeken – het liep tegen Pasen en de etalage lag vol vogelnestjes, en in die nestjes eieren als van een kwartel, geel en blauwig, vol sproeten.

Bij ons is het een zonde om eieren uit nesten te halen of om nesten met of zonder eieren te verplaatsen, eerst moet je je ervan vergewissen dat het nest verlaten is, anders roept de vogel die jongen verwacht, een vloek over je uit.

En die nestjes bij de bank lagen wel met bosjes van vijf achter ieder raam.

De hele tijd dat we er waren voelde ik me misselijk.

Wij zetten bloemen achter de ramen, grootje had margrieten van plastic die stofnesten vormden, maar eieren, dat zou geen enkele weldenkende Roemeen in zijn hoofd hebben gehaald.

Zo trof Ton me aan, met de brieven van de banken en de fiscus.

'Muie luistere', zei hij en de rode vlekken in zijn wangen, teken van een te zwaar belaste lever – waren verdwenen, 'muie luistere, Lori.'

Het leven was als een saloondeur in een western: je duwt hem naar binnen en naar buiten, hij gaat nooit dicht.

Ik leefde en ik leefde ook weer niet, ik zou de gevangenis indraaien.

Ik schreeuwde, slaakte kreten als een indiaan op oorlogspad, ik deed een paar grote stappen in zijn richting, misschien maar één – een sprong – en gaf hem een duw zoals tegen die verdomde saloondeur.

Hij wankelde, zoals ik had verwacht en viel achterover, wat ik niet had verwacht.

Andere keren had hij bewezen tegen een stootje te kunnen.

Misschien was ook zijn leven wel een westernsaloondeur die oud en versleten was.

Ton stond niet meer op.

Van onder zijn hoofd tot onder zijn longen strekte zich een plas zwart bloed uit, tenminste zo zie je het nog op het groene tapijt.

Het gevoel dat het goed had kunnen zijn, hoe vaak had ik dat in mijn leven gevoeld?

Maar toch is het dat niet geweest.

Dat gevoel, dat verdomde gevoel dat het leven een hoer is, dat ik zelf een hoer ben, dat mijn dochter een hoer kon zijn, dat de toekomst een hoer is.

Alleen de dood kon geen hoer zijn.

Vuile hoer van het leven, drink een biertje en kijk nog eens naar Ton.

Dood zijn z'n ogen nog kleiner dan in werkelijkheid.

'Muie luistere,' zeg ik tegen hem, 'een garage en huis heb je niet meer, wil je een biertje? Ik durf te wedden dat dat geval van jou nog kleiner is nu je dood bent, ik zou hem moeten filmen, zodat ik hem kan laten zien aan die lui met hun kromme lul op het net: jongens, voelen jullie niet dat die van jullie ook kleiner wordt?'

Het goedmaken met mijn dochter kan niet meer, de tijd terugdraaien en een goede moeder zijn al helemaal niet. Laat staan Ton tot leven wekken.

De klappen die ik mijn dochter heb gegeven en die zij zich

zo goed herinnert, kan ik niet terugnemen.

Ik heb er zo'n spijt van dat ik niet heb kunnen aanvaarden dat mijn leven kapot was en niet meer gerepareerd kon worden, en dat ik haar mijn leven niet heb kunnen bieden, dat ik haar handje niet kan vasthouden telkens als ze me nodig heeft.

En allemaal omdat ik mijn leven zo belangrijk vond.

Ik dacht dat ik als ik hierheen zou komen, een man zou vinden die van me houden zou en zien zou wat een prachtmens ik ben, een man met geld, zodat ik mijn dochter kon laten overkomen en een gelukkig leven zou leiden.

Ik denk dat ik nog geen dertien was toen mijn andere opa, de vader van mijn moeder, bij grootje aanklopte voor geld om drank te kunnen kopen.

Hij trilde verschrikkelijk, al twee dagen had hij niets gedronken omdat hij zonder geld zat en niemand hem meer iets lenen wilde.

Grootje ging voort met haar werkjes en hij hobbelde achter haar aan, als een dier dat slaag had gehad.

Ik begreep niet waarom grootje niet vanaf het begin zei dat ze hem niets zou geven, dat ze niets had. Misschien had ze medelijden met hem.

Ook ik draaide rondjes, door het huis, met een masker van eigeel op mijn gezicht, het recept van klasgenootjes tegen huidveroudering. En ook al kon je wat onze kippen legden tellen op de vingers van één hand, grootje liet me m'n gang gaan. Ze deed ook alsof ze niet zag dat ik de kippen op het erf liet schrikken met mijn met eigeel beschilderde tronie.

Wat me tegenhield was de blik vol haat van de oude man, die misschien wel een goede opa voor me geweest had kunnen zijn als mama nog in leven was geweest, als ik iets van een band met hem zou hebben gehad, als we elkaar bezocht zouden hebben, als hij geen alcoholist geweest zou zijn …

Hij had de blik van iemand die niets dan een muur voor

zich ziet en dat gegeven, niet zonder pijn, aanvaard had.

Ik zag alle mogelijkheden voor me. Hij haatte me, omdat ik nog aan de start stond en hij al bij de finish was gekomen.

Grootje vertelde hem uiteindelijk dat ze geen geld voor hem had en voegde daar nog een paar hartige woordjes aan toe, waarop hij vertrok en nooit meer is teruggekomen.

Twee dagen later hebben ze hem gevonden, dood in een greppel: hij had ethyleen gedronken wetend dat dat zijn dood zou zijn, de behoefte aan alcohol was groter dan de hang naar het leven.

Naar de begrafenis ben ik niet geweest, uit angst dat hij zijn ogen zou openen om nog een keer met zo veel haat naar mij te kijken.

Ik zal nooit een wisent zien en zeker niet in de bossen van Moldavië.

Ik zal nooit meer door mezelf geoogste herfstpruimen eten uit een pruimenboom vol hars, die zo erg in mijn haar plakt dat ik hele lokken haar moet afknippen om van de hars verlost te zijn.

En ook zal ik nooit achter de waarheid komen (hoewel ik dat vuriger wenste dan het horloge van witgoud dat Ton voor me heeft gekocht), namelijk: nadat we naar de wedstrijd Roemenië-Nederland hadden gekeken, waarbij Ton en ik elkaar bijna in de haren waren gevlogen, was ik niet gaan slapen omdat ik niet tot rust kon komen – ik was pisnijdig dat Nederland had gewonnen en Ton had gezegd dat zoiets te verwachten viel – keek ik naar een documentaire over een Engelse spion, een duiker, Buster Crabb, dat is zijn ware naam, ik wilde hem per se onthouden, een man alleen, zonder familie, zonder vrienden, die mijnen onschadelijk maakte die door de Russen waren gelegd.

Omdat hij te veel wist, werd hij tijdens zijn laatste missie vermoord door zijn eigen mannen van de MI6, de dossiers zijn strikt geheim en de waarheid zal pas in 2054 aan het licht komen, wanneer de geheime archieven worden ontsloten.

Ik had gehuild en de hele nacht niet geslapen. Ton zei dat het niet normaal was om me zo druk te maken om een simpele wedstrijd. Ton had een hekel aan Engelsen en dus heb ik hem verder niets over Buster Crabb verteld.

Misschien dat mijn dochter op een dag zal horen wie Buster Crabb vermoord heeft.

Ik slaap en ik weet dat ik slaap, want ik droom dat ik slaap.

Mijn dochter is klein in mijn droom.

We hebben een huis, maar we zijn allebei bang voor indringers, het huis staat ergens ver in het bos.

Mijn dochter komt huilend in het midden van de nacht: 'De man, mama, ik keek door het raam, direct in de ogen van de man!'

'Welke man?' schreeuw ik hysterisch, 'waar is die man?' Bang dat het, ja, echt is gebeurd. 'Welke man?'

'De maan, mama, m-a-a-n, het is vollemaan', corrigeert ze mij.

'Jezus, kind, ga naar bed, maar kom eerst maar hier voor een kus.'

'Waarom huil je, mama?'

'Gewoon, voor de maan, voor de m-a-a-n', en ik word wakker.

Straks zal ik het nummer van de FIOD bellen.

En de politie.